ライン

村上　龍

ライン

目次

Vol. 1

向井

向井久雄は午後六時過ぎにその新宿副都心の高層ホテルにチェックインした。サングラスをして、会社や自宅にいるときとは傾向の違うファッションをしてきたが、それでも誰に会うかわからないので、ロビーに入ってから、知っている人間がいないかどうか、あたりを見回した。

向井は三十四歳で、スチル・フォト・ライブラリーに勤めている。それほど有名ではないカメラマンや、素人から写真を買い、著作権フリーにして、さまざまな媒体に売る会社である。会社のオーナーは四十代の女性で、名前は望月明子という。望月明子はまだフォト・ライブラリーが一般的ではない頃に、カメラマンだった夫の死を契機として、一人で会社を始めた。まだ三十代に入ったばかりで、夫の住んでいた杉並の2DKのマンションがそのまま彼女のオフィスになった。

向井は、都内の私大生だった頃に、写真雑誌に小さく載っていた望月明子の「フォト買います」という広告を見て、オフィスを訪ねた。もう、十数年前のことだ。向井は平凡な私立大学文系の平凡な学生だったが、中学の頃からカメラをいじるのが好きで、写真雑誌のコンテストにいつも応募していた。セミプロのカメラマンだと自分のことを思っていた。

望月明子と初めて会ったときのことを向井はよく憶《おぼ》えている。向井が持参した五十点近いポジと、百点近いモノクロの紙焼きを見て、違うのよね、と望月明子は言った。いい、とか、悪い、ではなく、違う、と言われて、向井は、違うってどういうことですか？　と彼女に聞いた。向井には自分なりの写真に対する思いがあったので、違う、と言われて、腹も立ったし、ショックでもあったのだ。

「才能がないとかひどい写真だって言ってるわけじゃないの、ただ、こういうのは、違うの、つまり、うちは、芸術写真は要らないんです、絵ハガキとかカレンダーに使えるような写真を扱うの、それもアートなポストカードじゃなくて、普通のポストカードだけどね」

それから向井は、雨に濡れたあじさいの花や、誰もいない公園や、横浜港の背景を撮って、望月明子のオフィスに持っていった。何点か、買ってもらえたが、卒業を前にして就職先が決まっていなかった四年生の秋に、うちで働いてみない？　と言われた。

「普通の会社に入ってしまうと、なかなか写真とか撮れないでしょう？　うちだったら、そんなにバカ高いサラリーは出せないけど、その代わり、ずっと写真に囲まれてるわけだし、これはこれで将来性があると思うし、何より、わたしはムカイ君には写真を見る目があると思うのよ」

向井は、結局、望月明子のオフィスに入社した。写真を見る目があるという言われ方は、撮る才能はないという意味も含まれているようで少し不愉快だったが、当たっている、と思った。写真に囲まれているのは確かに楽しかったし、将来性があるという判断も正しかった。特に、八〇年代の終わりから九〇年代にかけて、バブル経済が崩れ、広告業界が有名なカメラマンの撮り下ろしを避けたがるようになってから、望月明子のオフィスは急に売り上げが伸び、画像処理のできるパソコンが出てからは、さらに大幅に需要が増えた。最初は向井一人だった社員も少しずつ増え始め、オフィスも南青山のマンションに移った。

四年前、オフィスが急成長を始める頃、向井は取引き先の女性と結婚した。中堅の広告代理店のOLで、一歳下で、名前は長野真紀といった。望月明子は、結婚に反対したわけではなかったが、積極的に賛成もせず、マキちゃんには問題がある、と向井に何度か言った。向井にとって、ほとんど初めてと言っていい恋愛で、しかも長野真紀は連れて歩くとバーなどで男達が振り向いて眺めるような派手な容姿の持ち主だった。ハネムーンはオーストラリアへ行って、郊外のマンションをローンで買って住んだ。

今年になってからだ。もう耐えられない、と真紀が言いだした。向井は、月に一度の「遊び」がばれていたのかと最初は思った。向井は、昔、望月明子に注意されたことがあって、それ以来、月に一度、風俗の女と遊ぶように自分で決めていた。

「ムカイ君はまじめなのは大いにけっこうなんだけど、何ていうのかな、まじめすぎると逆に不潔に映るものよ」

セックスについての話だった。望月明子の言うことは理解できた。向井はどちらかといえば内向的で、友達がすぐにできるというタイプではなく、あらゆることに淡泊で、面倒臭がりだった。カメラやフィルムや印画紙に触れていればあとはどうでもいいというところがあった。それで、月に一度、風俗の女と遊ぶようにしたのである。風俗の女は、不潔な男を嫌がるし、貧乏臭いファッションはバカにされる。向井は月に一度の「遊び」のおかげで、それまでより風呂に入る回数が多くなったし、よく床屋にも行くようになったし、洋服のヴァリエーションも増えた。それに、女と話すのもうまくなった。女と接するときには、リラックスしていなければいけないということを学んだわけだ。

最初の頃は、主にソープランドやファッションヘルスを利用した。一ケ月に二万から三万の金を「遊び」のために用意するのは、フィルムや機材の購入を減らせばそう難しいことではなかった。それに望月明子は、かなりの額のサラリーをくれて、それはオフィスの成長に合わせ増額されていった。真紀と知り合った頃、つまりバブルが弾《はじ》け画像処理のできるパソコンが普及しだしてオフィスが急に忙しくなった頃から、向井は「遊び」のグレードをアップさせた。シティホテルに一泊して、風俗から女を呼ぶようになったのだ。

結婚してからも「遊び」はやめなかった。真紀は、風俗の女達よりはるかに美しく、教養もあって、話題も広かった。ただ、どこか近寄り難いところがあって、どうしてこんな女が自分なんかとの結婚を望んだのだろうという思いが向井から消えることはなかった。

「マキちゃんには問題がある」

望月明子はそういう風に言っただけだったが、結婚してしばらくすると、いろいろなうわさが向井の耳に入ってきた。真紀はずっとある有名人の愛人で、最近捨てられたために、扱いやすい男を選んで結婚した、関西の資産家の長女である真紀は大学時代からある有名人と不倫関係にあったが、そのままだと遺産相続の際に不利なので一度清算し、どうでもいい男を探して結婚した、真紀はずっとある有名人の愛人で単にその相手の男にヤキモチを焼かせるために適当な男を見つけて結婚したが、未《いま》だにその有名人との関係は続いている……有名人が政治家や実業家に変わることもあったが、大体そういう内容だった。

知り合った頃、真紀は二十九歳で、仕事ができてしかも美人の女に限って晩婚だったりするって本当なのかも知れないな、などと向井は思ったりしていた。真紀のうわさが耳に入り始めた頃、イタズラ電話が目立って増えだした。マンションに電話がかかってきて、向井が出ると、切れる。やがて、真紀は、自分専用の電話をもう一本引いて、その電話に向井が出ることを禁じた。真紀が関西の資産家の娘だということは事実で、向井とは別の銀行口座を持っていて、いつでも好きなときに洋服を買ったりした。

そういう結婚がうまくいくわけがないと望月明子をはじめとするまわりの友人達は思っていたようだが、向井は、結婚がうまくいくとはどういうことかわかっていなかったこともあり、真紀に対してある疑いをずっと抱きつつ、月に一度の「遊び」を続け、忙しくなった仕事をきちんとこなして、離婚は考えなかった。また真紀は知り合った当初から気が強く、口論になると常に主導権を握った。口論のきっかけも、必ず真紀が準備して、それに対する向井の対応はただひたすら耐えるというものだったが、一つだけ我慢できないテーマがあって、それは向井と望月明子がデキている、というものだった。向井は望月明子を心から尊敬していたので、そういう疑いだけは許せなかった。

真紀は性格的にヒステリー症を帯びていて、言いがかり的な口論を仕掛けてくると、それは必ず何時間も続いた。望月明子には何度となく相談した。

「そういうのは困るわね」

「もう、慣れましたけどね」

「よく神経がもつわね」

「オレこういうの、生まれて初めてなんですよ」

「何が？」

「言い争ったりするの今までないんです、うちはオヤジもオフクロも、弟もおとなしいんで、もともとあまり話をすることもないし、だから初めのうちはね、元気のいい女だなって思ってたんです、何となく活気があるなってね、今も、そういう思いは少しありますよ」

「まあ、わたしも実際にそういうマキちゃんを見てないから何とも言えないけど、よくわからない子だっていうのは聞いてたのよ、本当に言いたいことは黙ってて隠して、どうでもいいことで妙に突っかかってくるところが昔からあった子だしね、カンが強いっていうか、要するに激しい子だよね、いろいろうわさもあるみたいだけど、結婚前にわたしが、問題があるって言ったのはそういううわさのことじゃないよ、それはムカイ君わかってる？」

「わかってます、うわさについても、オレにとってはよくわからない世界だからなあ」

「よくわからないって？」

「金持ちとか、有名人って未知のことじゃないですか」

「気にならないの？　主婦のくせに、専用の電話引くなんてどう考えても普通じゃないけどね」

「オレとモチヅキさんのことを疑ってるって、どういうことなんですかね」

「ヤキモチだったら、ムカイ君への何らかの愛情があるってことだけど、どうなの？」

「どうって？」

「あなたのことがイヤでイヤでしょうがなくて、ヒステリックに攻撃してくるって可能性だってあるのよ」

「よくわかんないですよ、もう」

「例の『遊び』、続けてるんでしょ？」

「ええ、それで何とかもってるって思うこともあるんですけどね」

「ばれたら大変じゃないの」

「ばれることはないと思うんです、いろいろ言うわりにはオレのことあまり興味ないみたいだし」

「いずれにしろ、考えたほうがいいよ、まともじゃないわよ、これから何があるかわかんないよ」

望月明子の言う通りだった。今年になって、真紀は、離婚を言いだした。理由を聞くと、もう耐えられない、と繰り返すばかりでまったく要領を得ない。そのうち、弁護士が出てきて、向井はマンションを追い出されることになった。望月明子は、それはどう考えてもおかしいからといろいろアドバイスをくれたが、向井には真紀や弁護士と争う気持ちは起こらなかった。ただ、真紀と離れて住むことのほうが辛かった。オフィスの傍に安いワンルームマンションを見つけて引っ越したが、一人暮らしを始めるとすぐに、老けたね、とみんなから言われた。まわりのうわさは、その有名人が真紀を取り返すことを決心した、夫とは別れるからまた昔のように付き合ってくれと真紀がその有名人に泣きついた、離婚しないともうお前となんか付き合わないとその有名人が真紀に言った、と例によっていろいろだった。

向井は何百回と真紀に電話をしたが、すぐに切れる。やがてその電話は取り外されてしまった。真紀の専用回線の電話番号を向井は知らされていなかった。別居して二ケ月後に、望月明子の強い勧めで、向井も弁護士を雇った。現在は弁護士どうしで慰謝料についての話し合いが行われているところだ。真紀の弁護士は法曹界ではかなり名の通った人物らしかった。向井の弁護士は、その奥さんの電話の相手や話の内容がわかればねえ、と何十回と洩《も》らすような平凡な人間だった。勝ち目はない、と向井は思っていたが、別居が続くうちに、真紀は本当にいったい誰と電話してたんだろう、という強い興味が湧《わ》き上がってきた。それは、真紀という女は本当は何者だったのだろうという飢えに似た疑問だった。

チェックインを済ませて、簡単な荷物を持って部屋に入り、ビールを飲みながら夜になるのを待ち、向井はＳＭクラブから女を呼んだ。ＳＭクラブは、三年ほど前から利用している。セックスはできないが、真紀との生活のために次第に屈折する感情を発散するには最適だと向井は思っていた。

ホテルの部屋の窓からは、照明に浮かび上がった都庁の灰色の壁が見えた。望月明子は、どこか自分で母親のような気持ちを向井に抱いているところがあって、昔から「遊び」について具体的に聞きたがった。

「ＳＭ？」

「うん、最近はね、それが面白いなと思うんですけどね」

「ムチで打ったりするの？」

「いや、痛いことをやらせるっていうより、オレの場合、言葉とかね」

「マキちゃんにやられてる分、やり返してるんじゃない？」

「そうかも知れないですね」

女が入ってきた。風俗の女達は、大体、スーツかワンピースを着てホテルに送られてくる。ジーンズとセーター、みたいな女はいない。きちんとした格好を好む客が多いからだろう。でも、スーツやワンピースが似合う女はほとんどいない。

その女はピンクのスーツを着て痩《や》せていて、目付きに落ちつきがなく、ビールを勧めると、何も言わずにものすごくゆっくりと一センチだけ飲んだ。

シャワーを浴びさせ、裸にして脚を大きく拡げさせ、坐る形でソファに縛りつけた。そういう格好をさせたまま、向井は女と話をするのが好きだった。ひどく恥ずかしがる女と、そうでない女がいた。向井はどちらでもよかった。人前で最低の格好をとる女を見下して、いろいろなところに触りながら話をして、最終的に手か口で射精すればそれでよかったのだ。

「いつからこういうことをやってんだ？」

「SMですか？」

「決まってるじゃないかよ」

「二年前です」

「いろんな変態がいるだろ？」

「そうですね」

「どういうのがすごかった？」

「お客さんですか？」

「そうだ」

「一人、忘れようとしても、忘れられない人がいますね、女性ですけど」

「女？」

「ええ、ちょっと、何ていうか、イッちゃってるっていうか」

「変態なのか？」

「プレイはレズっぽかったけど、あのね、コードとか、見えちゃったり、聞こえちゃったりしちゃうんだって」

「え？」

「その人は、ラインって言ってたけど、あるときからね、ほら、ビデオとテレビをつなぐコードがあるじゃないですか、それを見てるだけでね、そのコードの中を走ってる電気の信号？　それが、ちゃんとした映像として見えてしまうんですって、テレビの画面見なくても」

「嘘だろ」

「それでね、プレイ終わって、事務所から電話があったんですよ、その人、電話から離れてたんだけど、じっと受話器のコード見て、あたしの事務所の社長が何言ってるか、全部、当てるんです、正確に、一言一句、全部当たってるんです、ラインが、見えたり、聞こえたりするんだって、気が狂いそうになるって、言ってましたよ」

Vol. 2

順子

向井は、一瞬言葉を失っていた。そんな女が実在すれば、真紀が誰と何を話しているかわかるかも知れない、と思ったのだ。

向井はプレイを延長することにして、時計を見ながら計算し、汚く高圧的な言葉とバイブレーターで女を攻撃し、一時間が経過したところで女の口に射精し、その後、ラインが見えてしまう人間と会ったという不思議な体験について聞いてみることにした。女は、向井の性器を口に含む際にコンドームを要求した。いつもそのことでSMクラブの女とちょっとした言い合いになるのだが、今夜は女の言う通りに、向井は黙ってコンドームを付けた。

「あんた、名前は何ていうんだっけ?」

プレイを終わって、シャワーを浴びてきた女に向井はそう聞いた。

「めぐみ、です」

バスタオルをからだに巻いて、シャワーの飛沫をうなじや肩につけたままの女はそう答えた。

「あの、プレイはもう終わりですか？」

「うん、着換えていいよ」

「だったら、延長はなしだって、店に連絡しないと」

「いいよ、少し休んでいけよ、ちゃんと二時間分払うからさ」

向井がそう言うと、一度は意外そうな顔をして、わかりました、と着換えを始めた。バスタオルを外し、もう一度からだをよく拭いて、前を隠すようなこともなく、まずブラジャーをつけた。

「ナマ足ってやつが流行《はや》ってるだろう？」

痩せた脚をパンティに通す女に、向井は話しかける。向井としてはなるべく女をリラックスさせて、ラインを流れる電気情報が音と映像として見えてしまうという人間のことを聞きたいのだ。風俗産業の女の中には、客について喋《しゃべ》るのを嫌がるのもいる。

「流行ってますね」

女はパンティストッキングをはきながら、それがどうしたんだというような口調で言った。

「まだそれほど寒いわけじゃないし、今でもときどきナマ足の子っているよな」

「いますね」

「ええと、君は、ごめん、また名前忘れちゃったよ、何だっけ？」

女は、苦笑して、めぐみ、と答える。

「本当にごめんな、いつも女の子の名前を忘れるわけじゃないんだけどな」

「お客さんは相当遊んでるんですか？」

「そんなことないよ、月に一度だよ」

「よく遊んでる人は、女の子の名前がゴチャゴチャになってしまうんですよね」

「月いちじゃよく遊んでるなんて言えないだろう」

「そうですね」

女はピンクのスカートをはき、腰のジッパーを閉めて、ちょっと髪直してきていいですか、と向井に聞いた。ああ、いいよ、と向井はうなずき、もしお腹空いてるんだったら何かルームサービスをとってあげようか、とバスルームに向かう女に声をかけた。

「え、ルームサービスですか？」

「うん、お腹が空いてれば、だけど」

「ちょっと」

女は、非常に痩せた腹部のあたりを押さえて、照れたように少し笑った。向井はその微笑《ほほえ》みに動揺した。女の、そういう微笑はあまり見たことがなかった。真紀はそんな笑顔を向井に見せたことがない。うれしさと恥じらいがちょうどよい具合に混じった笑顔。向井は、女がそういう笑顔をつくる状況に、これまでほとんど無縁だった。

「何かとるよ、何がいい？」

「どういうのがあるんですか？」

「まあ、手軽なのはサンドイッチとかカレーとかピラフだろうな、ここのカレーは一度食ったけど悪くないよ」

「ビーフとかチキンとか」

「何のカレーですか？」

「あ、わたし、お肉がだめなんです」

「エビもあった、エビ」

「じゃ、エビのカレーにします」

「飲みものは？　ビールとかコーラだったらミニ・バーにあるけど、あったかいものが飲みたかったらとるけど」

「お客さんは？」

「オレ?」

「あったかいもの、飲むんですか?」

「いやオレはビールにするよ」

「じゃ、わたしはコーラでいいです、ありがとうございます」

女は軽く頭を下げてからバスルームに入っていき、やがてドライヤーの音が聞こえてきた。向井は、そのドライヤーの音を聞きながら、ルームサービスに電話し、エビのカレーを頼んだ。ルームサービス係の電話の声が妙に冷淡に聞こえて、向井は気分を害した。なるたけ急いでもらえますか、と言って、ただ今混み合っておりますので二十分はお待ちいただくことになると存じます、という返事がそっ気なかったというだけで、いやな感情が湧いた。ルームサービスの人間が、例えば真紀が雇った弁護士の手先だったら、と、そんなことも考えた。そんなことがあるわけがない、と思うが、不幸の芽は自分の知らないところでまかれて育ち、ある日、突然自分を襲ってくるものだというのが、真紀とのゴタゴタから向井が得た教訓だ。

真紀に出会うまでの人生も刺激的なものではなかった。好きな写真の傍らで仕事ができているが、気持ちが高揚するというか、解放されるというか、そんな時間があるわけではない。写真は動かないし、それに画面以上のことを語りかけてこないような写真が向井は好きだった。戦場カメラマンや報道写真家に憧《あこが》れた時期もあったし、アートとしての写真しか認めようとしなかった時期も若い頃にはあった。だが、芸術写真といわれるものも、報道写真も、自分が好きだったのは、有名カメラマンが撮ったいわばブランド品だった。望月明子のところで働く間にそのことに気づいた。結局、向井が写真が好きなのは、それが静的で、自分を侵食してくることがないからだった。

向井は北埼玉の会社員の家庭に生まれ、両親も自分も三歳下の弟も、とにかく自分の家の人間は全員まるで影のようだと感じながら育った。父親は埼玉と東京の境目にある印刷所で事務をやっていて、母親は自宅近くの安売りで有名な新興スーパーでパートで働いていたが、二人とも温和で、目立たない人間だった。小学校の授業参観のとき、来ているはずの母親の姿を探せなかったことがある。容姿も、着ているものも地味で、他の母親達の後ろでうつむいていたのでどこにいるかわからなかったのだ。

父親が大声で笑ったり、また逆に怒ったりするところを見た記憶がない。家は、祖父の敷地に建っていて、向井が小さい頃にはまわりにまだ畑が残っていた。父親は、酒を飲んで遅く帰るということもなく、家に友人や仕事仲間を連れてくることもなかった。家族で外食をする機会は非常に少なく、家族で旅行をしたのは本当に数えるほどだが、向井は、仙台に行ったときのことをよく憶えている。向井が中学の二年だった夏に、母親の実家が同じ宮城の古川だったこともあって、家族四人で出かけたのだった。お盆だったので、仙台市内の旅館やホテルはどこも混んでいた。予約してあったシティホテルが、手違いでキャンセルされていて、フロントでそのことを告げられた父親は、それまでに向井が見たことのない表情をした。顔が一瞬、怒りに歪《ゆが》んだのだった。顔の筋肉が気持ちの悪い動きをして、目付きが変わり、今にも大きな声を出すのではないかと向井は恐くなった。父親が大声を出すのが恐かったわけではない。父親が別人になってしまうようで、恐くなったのだ。

その後、家を離れて大学に行くようになって、父親が、本当は穏やかな人間ではなく、怒りやその他の感情を外に出すことがなかっただけだと気づいた。自分にも似たところがあったからだ。感情をからだの内部に閉じ込める。それを子どもの頃から続けていると、表に出そうとしても、そのための回路がわからなくてできない。まわりからは、地味で暗いやつだと思われることになり、友達や恋人ができず、いつかそのことを受け入れてしまい、あきらめて、感情を表にあらわすということについて考えること自体面倒になってしまった。

そういう、長い間かけてつくってきた自分を外界と遮断するバリアは、相手にもすぐに気づかれてしまう。自分に優しくしてくれた女は、望月明子と、出会ったばかりの真紀だけだった、と向井は思う。それでも、その二人はめぐみというＳＭ嬢がさっき見せたような表情をしたことはない。あんな表情をこのオレに見せた女は今までいなかった。向井はそう思いながら、ドライヤーの音が止《や》むのを待った。

「これ、本当においしいです」

めぐみという女は、エビのカレーを食べながらそう言った。

「仕事は、ＳＭだけなの？」

向井はビールを飲んだ。

「ええ、今は」

「昔は昼間も働いてた？」

「そうですね」

「あまりこういうことを聞いちゃまずいよね」

「そんなことありませんよ」

「オレは、こういうことを、風俗の子と話すの、初めてだな」

ルームサービスは、めぐみという女がバスルームに入っている間に部屋に届けられた。めぐみは、窓の外の都庁を見ながら、規則的なペースでカレーをスプーンに乗せて口に運んだ。

「他の風俗でも遊ぶんですか？」

「ＳＭが多い」

「そうなんですか」

「二年だって、さっき言ったよね」

「この仕事ですか？　そうですね、二年になりますね」

「平均的なのかな」

「どうなんでしょうか、すぐに辞めちゃう子もいるし、三十になっても続ける人もいるし、いろいろですけど」

「ビール飲むかい？」

「あ、いいです」

「飲めないの？」

「昔は、ボトル一本空けてました」

めぐみは、本名を斉藤順子といった。順子はウィスキーや日本酒やジンを毎晩飲んでいた頃の自分を少し思い出した。短大を卒業する頃から、つまり二十歳を過ぎて酒を飲み始めたのだが、ウィスキーをボトル一本飲んでも、ずっと意識は醒めたままだった。酒が強い、というわけではなく、どうやっても自意識が消えてくれなかったのだ。

「へえ、ボトル一本？　それはすごいね」

「で、からだ壊して、やめました」

「酒豪だったんだ」

「ええ、まあ」

こんな男にディテールを話すことはない、と斉藤順子は思った。酒豪だということにすればいい。こんな男にあの頃のことを話しても絶対にわかってもらえない。今まで、わかってくれた人間は一人もいなかった。これからもそういう人が現れることはないだろう。わかってもらう、わかり合える、理解してくれる、順子はそういった言葉を信用していない。

「ところで、プレイの最初に言ってたよね、変わった女の人の話だけど」

「ああ、コードとかラインの中が見えちゃう女の人のことですか」

「そう」

「あれは今でも、信じられない」

「へえ、どんな女の人だったの？」

まずいことを喋ってしまったな、と順子は思った。そういう女がいたことは事実だが、もう半年も前の話で、もしこの男がテレビ局とか雑誌社とか、そういうところで働く人間だったら、面倒な事態になるかも知れない。他の客のことは決して喋らないようにと、店のオーナーにきつく言われている。女の子が客について、例えばよく店に来る有名人の名前とかをベラベラ話して、それが週刊誌にイニシャルで載ったりすると、警戒されて全体の客足が遠のいてしまうらしい。

　順子は、今の店が気に入っているので、辞めさせられると困る。ＳＭは、生活を支えるだけでなく、今の自分の精神も支えていると順子は思っていた。

「そうですね、見た目は普通っていうか」

「普通ねえ」

　順子ははっきり言うことにした。

「あの」

「何だ」

「他のお客さんのこと、話しちゃだめってことになってるんです」

　そう言うと、男の顔色が変わったので順子は本能的に身構えた。ＳＭの客は、ほとんどみんな妙に優しいが、たまに恐いのがいる。順子はまだそういうタイプにあたっていないが、オーナーや同僚から話を聞くことがある。世間話をしていて、反対意見を言ったとたんに殴られた、自分の肉体的欠点を笑いながら言うのでこっちもつられて笑ったらふいに怒りだして髪の毛をつかんで引きずり回された、プレイとはいえあまりにひどい罵《のの》り方をされたので睨《にら》みつけるとそれだけでからだ中を蹴られた、いろいろだが、共通しているのは、そういうタイプの男が突然に切れることだ。

「あ、なるほど、そうだろうな、うん、悪かったよ」

男は、すぐに怒りを表情の中に消して、そう言った。この男は信用できない、と順子は思った。怒りはそれほどすぐに消えるものではないことを順子自身がよく知っているからだ。これ以上、怒らすのは逆に危険だ、たとえこの男がマスコミの人間だったとしても、記事になるほどのことを実際にわたしが知っているわけでもない。

「でも、カレーもご馳走になっちゃったしな」

そう言うと、身なりだけは遊び慣れた風に装っている魅力のかけらもない男は、ほっとしたようだった。

「でも、あまり憶えてないんですよ」

「ふーん、ホテルはどこだったか、聞いてもいい？」

「ニューオータニでした」

「ニューオータニか、その女の名前なんかわかるわけないよね」

「ええ聞いてません」

「歳は？」

「わたしと同じくらい」

「そんなに若いのか」

「わたし、若くないですよ、もう、二十五なんだから」

「でも、そういう特殊な能力のある女ってさ、なんか、もっと年上の人を想像してしまうよな」

「そうかも知れませんね」

順子が部屋を出ていく時、男は、規定の料金に一万円余分につけてくれて、名刺を差し出し、そんなことはないと思うけどもしその女にまた会ったら連絡してくれ、と言った。

「頼むよ、お礼はするからさ」

わかりました、と言って、順子は部屋を出て、ロビーを横切り、今から戻りますと店に携帯電話をかけ、タクシーの中で男からもらった名刺を読みもせずに破り捨てた。

Vol. 3

ゆかり

「きょうは暑いね」

窓を五センチほど開けながらタクシーの運転手が話しかけてきた。順子は、それほど暑いと思わなかった。運転手は二十代後半か三十代そこそこといった年輩で、ガムを噛んでいた。さっき、煙草を吸ってもいいですか、と順子が聞いたとき、意外そうな顔になってバックミラーを見た。風俗っぽい派手な化粧してるのに案外礼儀正しいんだな、そういう感じの表情だった。

うんざりなやつだな、話しかけてこなければいいな、と思っていると、やはり、暑いとか寒いとかよくわからないことを話しかけてきた。暑いとか寒いとか、順子にはわからない。順子はどんなに暑くてもほとんど汗を掻《か》かない。その代わり気温に関係なく変なときに汗を掻くことがある。典型的なのは、例えば知らない人間に街角やファミレスで急に話しかけられたりしたとき、そういうときは腋《わき》の下や背筋にべっとりと汗を掻いてしまって、自分が誰なのかわからなくなる。

はあ、とか、ええ、とか気のない返事をすると、運転手は少しがっかりしたような表情になって声のトーンが下がった。

「うん、十一月にしたら、今夜は異常に暑いよ」

小さな低い声でそう言ったきり黙った。これでこいつと話さずにすむ、順子はそう思った。

タクシーは、順子が所属するＳＭクラブのある六本木の防衛庁近くの道を走っている。運転手は、比較的若いのによく道を知っていて、幹線道路ではなく、裏道の狭い路地ばかりを走る。通ったことのない細い道を車で走るのが順子はあまり好きではない。代々木から千駄ケ谷方面に抜ける狭い道は、酔ったＯＬや学生やサラリーマンであふれていた。道の真ん中を大声を上げながら歩いているのもいたし、フラフラと車の前によろけてとび出してくるのもいた。危ねえなあ、と運転手は舌打ちをしてそういう連中を避けた。そのたびに、順子は、轢《ひ》き殺せ、と呟《つぶや》いた。

順子のＳＭクラブのオフィスは防衛庁の裏手の雑居ビルの三階にあった。目立たない外見のビルで、小さなゲームソフト会社やマイナーな洋画配給会社や音楽プロダクションやデザインオフィスが入っている各部屋も非常に狭かった。

チャイムを押して部屋に入ると、ゆかりが一人でいて、近くのローソンで買ってきたというおにぎりとオシンコを食べていた。ゆかりは十九歳で、SMクラブに入ってまだ二ケ月だった。SMの前はエステで働いていたらしい。クラブの女の子どうしはあまり話すことがない。3Pで、ホテルに二人呼ばれるときなんかはタクシーの中で世間話をするが、バブルが終わったあとは3Pや4Pなんかで派手に金を使う客はほとんどいなくなった。

「お帰りなさい」

ゆかりはおにぎりを口に頬張ったまま言った。オフィスの中は六畳あるかないかという狭さで、畳が敷いてある。電話を置く台と、テーブル代わりの電気コタツと、プレイ用の道具、エナメルやビニールのプレイ用の服などでスペースは埋まっている。電気コタツにはまだ布団がない。ゆかりは自分の服を着て、コタツの上におにぎりとオシンコとウーロン茶の缶を置いて、テレビをつけっ放しにして、「JJ」を読んでいた。

「社長は？」

「きょうは何か用事あるとかで、帰りました」

社長というのはSMクラブのオーナー兼経営者で、四十代前半の元商社員だ。商社に勤めていた頃は、ニュージーランドやアルゼンチンから小麦粉や羊の肉を買っていたらしいが、SMが好きで、三十代で離婚して、SMクラブを始めた。SMクラブがどのくらい儲《もう》かるものか順子にはわからないが、社長はあまりお金のかかった服を着ていないし、ベンツにも乗っていない。

社長が帰ったということはもう今夜の営業時間は終わったということだ。電話は留守番モードになっていて、またあす昼の一時より皆様のお電話をお待ちしております、というメッセージが流れる。順子は時計を見た、十一時四十分だった。

「ホテルから電話したときは、早く帰るなんて言ってなかったけど」

順子はゆかりにそう言った。

「あ、社長？」

「うん」

「急な用事みたい、電話かかってきてたし、お金、持っててくれって、他の人にもそう言ってくれって」

Sの客は一時間につき三万円、Mの客は二万円、それに往復のタクシー代を合わせて払う、だから順子は今夜あの魅力のかけらもない男からプレイ料金六万と、タクシー代だといって一万、計七万円もらった。プレイ料金の四割を店がとり、残りは女の子がもらう。

「あの」

　ゆかりが声をかけてきた。

「何？」

　そういえばこのゆかりって子とこうやって二人きりで向かい合って言葉を交わすのは初めてだなと順子は思った。女の子は全部で七人いるが、常勤は四人だ。あとの三人は学校や昼間の仕事があるので週に二、三日しか働かない。ゆかりは、常勤だった。

「おにぎり二個も余っちゃった、よかったら、どうですか？」

　ゆかりはベルベット地でからだにぴったりと貼り付くタートルネックのセーターと、黒のコーデュロイのパンツを着て、髪はショート、顔付きやからだはごく普通だったが、肌はきれいだった。

「ありがとう、でも、カレー食べたからいい」

　染みも吹き出物もなくて滑らかで白いゆかりの頬を見ながら、順子は言った。順子はゆかりの本名を知らない。

「カレーですか？」

　ゆかりは、ウーロン茶を飲みながらそう聞いた。

「うん、カレー」

テレビのニュースがうるさかったので、切ってもいい？　とゆかりに言ってから、リモコンで消した。手を伸ばせばブラウン管に触れるほどテレビは近くにあるのに、リモコンを使うのは変だなと思いながら順子はテレビを消した。6チャンネルの、雑誌とかでもときどき見るキャスターの顔が、テレビの裏側に吸い込まれていくように見えた、順子は消えるときのテレビ画面をじっと見るのが好きだった。

「この辺、カレー屋なんかありました？」

客がルームサービスで食べさせてくれた、とゆかりに言っていいものか順子はしばらく考えたが、結局言うことにした。昔から、順子は、思ったことを相手に言うべきかどうか異常なくらい考えるところがあった。それが顕著になったのは高校に入ってからだが、短大、三年ほど勤めた食品会社でも、そのことですごく疲れた。例えば、通学や通勤の途中でちょっとした出来事に出会うとする。バス停に段ボールに入った捨て犬がいた、自転車に乗っていたおばさんが幼児を避けようとして転んだ、ゴルフのスイングの真似をしていたサラリーマンの腕が隣の人に当たった、駅のホームに飾ってあったスイートピーの花を一輪おばさんが盗んだ、キヨスクで牛乳を買った人がフタをうまく外せなくて週刊誌が白く汚れた、そんなどうでもいいようなことだ。それを友人や同僚に話そうかどうか、一度考えだしてしまうと、わからなくなって、悩んでるわたしは頭がおかしいんじゃないかと思い始めて、他人と話をするのが次第に面倒になっていき、やがて恐くなってきた。一晩に一本のペースで安いウィスキーやジンやブランデーを飲むようになったのはその頃だ。

ＳＭの仕事をやるようになって、そういう性格は少し直った。相手にもよるが、あまり悩むことなく話ができるようになった。それでも敬遠したくなる人間のほうが多い。ゆかりには自然に話せそうだったが、自分がどういう基準でその人を判断しているのかはわからない。優しそうな人だから、などということは判断の材料にはならない。第一、優しそうな人はこの世の中に無数にいるが、そういう人はいつか必ず優しくない態度をとるものだ、と順子は幼い頃の経験で学んでいた。順子は、優しそうな態度の人間を絶対に信用しないことにしていた。

ゆかりにカレーのことを話す気になったのは、残りもののおにぎりを勧めたときの言い方がどことなく冷たかったからだ。ゆかりは、「ＪＪ」から顔を上げずに、残りもののおにぎりを、よかったらどうですか？　と言った。そういうタイプの人間は、最初から優しい態度ではないわけだから、安心できる。

「そういう客もいるんだ」

ゆかりはそう言って「ＪＪ」を閉じた。

「じゃあ、後半の一時間は、京王プラザで夜景を観ながらおいしいカレーを食べたってことですか？」

「うん」

「わたし、まだそんな客についたことないな、なんか変なのばっかり」

ゆかりは、甘えたような口調と声で話すが、全体的な響きは冷たい。順子は、このゆかりという十九歳の女が会う人会う人全員に、愛してる、と言って回るところを想像した。

「ちゃんとしたSM、みたいなのが少ないって思いません？」

「さあ、どうなのかな」

「めぐみさん、わたしね、SMってもっと何ていうのかな、マニアックであって欲しいって思ってるんですよ」

「へえ、そうなんだ」

「おまんこ見せて、バイブ入れて、あとはしゃぶって出させて終わらせるって客ばっかりなんだもん、それだとモロ風俗ですよね」

「そう、ね、そういうこと、言えてるかもね」

「わたしの先輩で女王様やってる子がいて」

「へえ」

「高校のときあこがれちゃって」

「へえ」

「もうすごいかっこよかった」

「そうなんだ」

「イブとかいう源氏名で、バンドやってる彼氏持ってたし、その人から聞いたんですけどね、マゾの男にろうそく垂らすときとかね、背中とかに、縛った男の背中とかにろうそく垂らしていくときね、いろんなところに、蠟《ろう》を落とすポイントを変えながら、男の表情を見てね、蠟を落としていって、あるところで、その男の表情が変わるんだって、苦しそうだったのが、なんか、気持ちいいみたいなトロンとした表情に変わるんだって、そのときにね、こう、よくわかんないんだけど話とかじゃなくて、ほら、ただ話とかしたって、その人とわかり合えるっていうかそんなのわかんないわけでしょう、そういうんじゃなくて、普通のセックスなんかより全然すごい感じでなにか気持ちが通じたような感じになるんだって、わたし、それ聞いたとき、すごい話だなって思った」

「それでSMにあこがれたんだ」

「そうですよ、でも、話が違うし」

「違うって?」

「Mやんないとﾐのことわかんないからって全然女王様やらせてもらえないし」

「女王様がやりたいんだ」

「そりゃそうですよ、めぐみさんは違うんですか？」

「あたし？」

「ええ、違うんですか？」

「何度かやったことはあるけど」

「Sは嫌い？」

「嫌いってわけじゃないけど」

「じゃあどうしてやらないんですか？」

「面倒なの」

そうだろうな、お前には女王様なんか無理だよ、とゆかりは思った。顔が細くて、からだも痩せていて、性格はとことん暗そうだし、全体的に人格の影が薄い。それにこの女のファッションのセンスは許せない。若い女性向けの雑誌とか読むことがないのだろうか。この港区全体でこの女の他にいったい何人がこんな汚いピンクのニットのスカートなんかはいてるだろうか。

「面倒？」

「そうね、それが理由かな」

「男を殴ったりするの気持ちよくないですか？　わたし殴られてばっかりだったし」

「そうねえ、一度面倒だと思うと、もうだめなのかも知れない」

どんな男がこんな地味な女にエビのカレーなんか食べさせたのだろう、とゆかりは思った。わたしだったらこんな女にはカップヌードルだって食べさせたくないな。さっきはこの女がおにぎりを食べるところを見たくておにぎりを勧めたのだ。いつか、社長に聞いたことがある。その子はね、ひどい母親に育てられたんだよ、二番目のママだったらしいんだけど、うんと小さいときからずっといろんなもので殴られたらしいんだ、そういう人はこの世界に多いけどね、必ずモノで殴るっていうのもすごいよね、素手では殴られなくてモノで殴られるんだってさ、受話器とか、竹刀《しない》とか、物差しとか、ビーチサンダルとか、ペットボトルとかね、それでわからないのはそうやってアザができたり血を流すまで殴るくせにそのあとママは必ず泣いて謝るらしいんだ、ごめんね、ごめんね、こんなにひどく殴ってごめんね、あー、こんなに血流して、腫《は》れちゃって、でもママはねあなたが可愛《かわい》いから殴ったのよ、そう言いながらしっかり抱きしめて泣くんだってさ、それでそういう修羅場のあとは決まって二人で一緒におにぎりを食べるんだってさ、あのね、おにぎりはね、こうやって人の手のひらで握るでしょう、そうするとね、手のひらから出る愛情のエネルギーがおにぎりに伝わるの、そうやって泣きながら二人でおにぎりを食べるんだそうだ……社長はその虐待を受けた女がめぐみだとは言わなかった。自分がこれまでに会った女の子のエピソードとして話した。でも、ゆかりは、絶対にめぐみのことだと思った。

だからおにぎりを食べるときに本当に泣いてしまうかどうか、泣かないにしても、表情に変化があるかどうか試してみようと思ったのだ。

「あたし、帰ろうかな、店、いい？　まかせて」

「あ、いいですよ、わたしはきょうはここに泊まるんで、あと、サリーさんが戻ってくるだけだし」

「泊まるの？　ここに？」

「うん、もう電車、終わってるんで」

「どこなの？」

「千葉の先なんですよ」

「じゃあ、頼むかな」

ハンドバッグの中を確かめ、口紅を塗り直してオフィスを出ていく痩せた女を、ゆかりは見送って、またテレビをつけた。どこかのチャンネルで映画をやっていないかな、と探したがだめで、ゆかりは東京メトロポリタンテレビのニュースにしてボリュームを少し大きくした。

あいつ、いったい何してるんだろう、と呟いて携帯電話の電源を確かめた。今夜必ず電話するって言ったくせに、留守録サービスにもメッセージは入っていない。テレビ局のディレクターで、今度ワイドショーのスタジオに呼んでやるって言ったから生フェラも本番もやらせたのに、約束を守らない。

だまされたのかな？　そう言えば、ちょうど切れてるって名刺もらえなかったし、どこのテレビ局かも言わなかった。六〇年代の音楽がかかってる西麻布のバーに連れて行ってくれると言うからケイタイの番号も教えたし、アナルにもおまんこにも入れさせてやったのに、だまされたのかな。アナルにピンクローターを入れて前でセックスするとすごい気持ちいいんだって言ったのでそれもやらせてやった。アナルで動くピンクローターの震動がおまんこに入ってるおちんちんを刺激するんだって、そう言ってた。

でもまだ十二時半か、とゆかりは思った。十二時頃電話するって言ってたからそのうちかかってくるかも知れない、そう考えて、ゆかりはもう一度携帯電話の電源がオンになっているのを確かめた。

Vol. 4

高山

「ＪＪ」を半分読んだ頃に携帯電話が鳴った。もしもし？　テレビ局のディレクターだと言っていた男の声ではないようだった。さっき一人のときにヒマだったので、適当に伝言ダイヤルのボックスにメッセージを入れておいた。そのうちの誰かかも知れない。でもテレビ局のディレクターだと言っていた男の可能性もある。ゆかりはその男の声をよく憶えていない。

「はい、ゆかりですけど」

「もしもし、ゆかりさんですか？」

「そう」

「ぼくはタカヤマです」

「タカヤマ？」

「そう、高い低いのタカに、マウンテンの山で、タカヤマ」

ゆかりはタカヤマという名前に聞き憶えがなかった。テレビ局のディレクターだと言っていた男はそれとは違う名前でホテルに泊まっていたような気がするがそれもはっきりしない。ホテルには偽名で泊まっていて、本名がタカヤマというのかも知れない。もし、タカヤマがテレビ局のディレクターだったら、あなた伝言ダイヤルの人？　とゆかりは聞けない。顔もまあまあだったし、背広もいい手触りのものを着てたし、時計はローレックスだったし、セックスも上手だったので、できれば付き合ってみたい。伝言ダイヤルにしょっちゅう電話している女だと思われたくない。

「あの、さっき」

「何？」

「さっき、会った人ですか？」

「何言ってんだ、タカヤマだよ」

「タカヤマさん」

「あれ、変だなあ、あなた、ゆかりさんでしょう？」

「そうです」

「嘘だ、わからないの？　ぼくはタカヤマだよ」

電話は騒がしいところからかけられていて、タカヤマの話し声の向こう側に何か音楽も聞こえる。こいつはやっぱりテレビ局のディレクターなんだ、とゆかりは思った。この曲が何という曲かはわからないが、きっと六〇年代の曲なのだろう、ちゃんと約束を守って電話をしてきてくれたんだ、他に友人とかが傍にいて今夜のプレイのこととかは喋れないのかも知れない。

「あ、わかりました、すみません」

「参ったな、やっとわかってくれたのか、こっちはせっかくこうやってわざわざ連絡してるんだからさ」

「そうですよね、すみません」

怒ってるのかも知れない、とゆかりは思った。怒ってこのまま電話を切られたりしたらいやだな、何かこいつが喜びそうなことを言わなきゃ本当にデートできなくなってしまうかも知れない。六〇年代の曲がかかる西麻布のバーだけではなくて、深夜までやってるおいしいイタリアンの店も知っているとか言っていたのでひょっとしたら連れて行ってくれるかも知れない。本当においしいイタリアンをずっと食べたいなと思っていて、埼玉の高校を中退し東京で遊ぶようになって二年経《た》つが、まだ食べていない。

「あのう、きょうのプレイ、とってもよかったです」

「ん？」

「きょうのプレイだけど、わたし、あんなの、初めてで」

遊びに連れて行ってくれて、付き合ってくれて、ワイドショーだけじゃなくて他の番組の、例えばクイズ番組で問題のカードを持って立っているような仕事をくれたりしたら、生フェラでもアナルセックスでも何でもやってあげるということをこの電話でちゃんと言っておかなくてはいけない、ゆかりはそう思った。

「本当に、よかったですよ、わたし普通は、絶対にあんなことやったりしないんですよ」

「へえ、そうなんだ」

「そうですよ、やるわけないじゃないですか」

誰にでも生フェラやアナルセックスを許すと思われてもいけない、それに、わたしはああいう変わった形のセックスをして感じてしまった。ＳＭはそれほど好きではないがいろいろな客と出会うことができると女王様をやっていた高校の先輩は言っていた、いろんなアーティストがいるらしいからテレビ局のディレクターだってアーティストに入れてもいいんじゃないだろうか、とゆかりは思った。アーティストというのが正確にどのような人種なのか、ゆかりは知らなかったし考えたこともなかった。三年前トルエンを吸っているところを見つかり、それまでにも万引きやカツあげで何回か補導されていたので、退学になり、家を出て、転がり込んだのが上板橋にある知り合いのアパートだった。知り合いといっても、顔なじみのトルエンの売人の、その彼氏の、ダチで、飲み会で二、三度顔を合わせたことがあるというだけの男だった。その男は高速道路の掃除をしながら、髪を腰のあたりまで伸ばしてロックバンドのベースをやっていた。五畳の部屋には、暖房もなく、布団とラジカセとベースギターだけがあって、男はそこで一日に数回ゆかりにセックスを強要し、お前を泊めてやっているのはセックスさせてくれるからだ、とはっきり言った。男はいつも髪が顔にかかっていて年齢不詳だったが、あるときゆかりは免許証を見てそれによると既に三十歳を超えていた。男は何について喋るときでも、アーティストという言葉を一分に一度は使った。あまりに多くアーティストという言葉が出てくるので、ゆかりはその男と暮らした二ケ月の間にその意味が曖昧《あいまい》になり、やがてそのことがどうでもよくなった。

「だって、タカヤマさん知らないんですか、本番は規則で禁じられてるんですよ」

「あ、そうなんだよね」

「ここ、事務所なんで、こういう話も本当はまずいんです、本番の話とかはね」

「事務所なんだ」

「そう、今、誰もいないからいいんですけどね」

ゆかりの父親は五十代になって三度目の結婚をしてゆかりをつくった。ゆかりが生まれた頃は東松山の木造モルタル造りのアパートに住んで、警備会社に勤めていた。ゆかりの母親は父親より三十歳近く若くてワープロやビデオカメラの液晶部品をつくる工場に勤めていて、少し右足が不自由で、ゆかりは何十回何百回とその母親のことを好きになろうとしたがうまくいかなかった。母親はほとんど喋らない人で、酔った父親からひどく殴られるときでも両手で顔を被《おお》うだけで抵抗することもなく、一言も声を出さなかった。母親はゆかりが小学校に入る頃にいなくなった。ゆかりは父親が最初の結婚でつくった子どもと会ったことがあった。ゆかりが小学校の二年生のとき、その女はたまたまゆかりが一人でいるときにふいに家を訪ねてきた。四十代のおばさんに、あんたのねえさんなのよ、と言われてゆかりは実感が全然なく、非常にいやな気分になった。ねえさんだという小太りのおばさんは、東松山の駅前にある喫茶店にゆかりを誘って、フレッシュ・メロンジュースをおごってくれて、あんたは顔はだめだけど肌がきれいだからその点で男をだまして生きていけるかも知れないね、というような意味のことを言った。その、ねえさんだというおばさんにはそのとき一度しか会っていないので、記憶ははっきりしないが、たぶんそういう意味だったと思う。それをゆかりは、セックスさせてやらないと男は誰も自分を好きにならない、という風に理解した。ゆかりは盛り場で知り合った男のところへ転がり込むという形でこれまでに七人と同棲してきたが、今のところセックス以外の目的で泊めてくれる男にはまだ巡り合っていない。今一緒に住んでいる男はカメラマンの助手で千葉の房総半島にある一軒家に住んで、自分では海とか砂浜とか雲とかそういう自然の写真を撮っている。たまにゆかりの写真を撮ることがあるが、それは局部だけだ。助手として仕えるカメラマンに怒られたりした夜に、男は安い酒に酔ってゆかりを縛り、腋の下や乳首や性器や足の指という局部をものすごいクローズアップで写真に撮った。その写真はとても人間のからだには見えなくて、いつも男が撮る海や砂浜や雲に似ていた。

「今、どこなんですか？」

「とあるアダルトなバーだよ」

それを聞いて、ゆかりは勝手に西麻布のバーなんだと思い、安心した。例の六〇年代の曲を聞かせるバーなんだ、やはりテレビ局のディレクターなんだ、どんなすごいことでもやってあげられるってことをちゃんと言っとかなきゃ、ゆかりはそう思った。

「わたし、きょうのプレイみたいなこと、好きだな」

「あ、そうなんだ」

「うん、好きです、でも、誰にでもあんなことするわけじゃないんですよ」

「あんなことって？」

「えーっ、忘れたんですか？」

「忘れたわけじゃないよ、ただ、ほら、いろいろあったよな、いろいろなかったっけ？」

「そうですね、いろいろでしたね」

ゆかりは一度、高い声で笑ってみせた。自分ではうんとエッチに笑ったつもりだった。笑っているうちにはっきりとプレイを思い出してしまって、スラックスの股《また》の間が熱くなり濡れてくるのがわかった。生まれてからこれまでに、本当にセックスがしたくてたまらなくなったことはないような気がする。気が狂うほど男が欲しくなるときはあるが、それが隆々と勃起したおちんちんなのか、男という生きものなのか、ひょっとしたらその両方なのか、あるいはもっと別の何かか、よくわからないのだ。ゆかりの父親はゆかりが幼稚園の頃、既に老人になっていた。頭を撫《な》でてもらったり、抱きしめてもらった記憶はない。それは今から考えると、父親は冷淡だったというより人間としての自信を失っていたからだとゆかりは思った。家を訪ねてきた異母姉妹であるおばさんによると、父親はずっと昔警察官だったらしい。ゆかりが幼稚園に通い始めた頃には、定年を迎えてガードマンを辞めて高速道路の料金所で働くようになっていた。ゆかりは何度かその「職場」に行って父親が働いているのを見たことがある。母親に連れられて深夜弁当を届けに行ったのだが、箱のような狭い「職場」で、単調な仕事を繰り返す父親はまるで人間の形をした巨大な虫のようだった。老人の父親はゆかりが万引きで初めて警察に補導されたときに大声で叱ったが、何度も続くと何も言わなくなった。中三と高一の夏の終わりにゆかりはそれぞれ一度ずつ堕胎して、父親から、お前から男を誘ったのだろう、と言われた。オフクロと同じだ、とも言われた。ゆかりは、足が少し不自由で無口だった母親が若い男にセックスしてくれとせがむところをそれ以来想像するようになった。別にわたしはセックスがしたいわけじゃないのかも知れない、ゆかりはそう思うことがよくある。男が欲しいとか、そういうのとはちょっと違うような気もする。世の中のあらゆる男達はセックスだけが目的でわたしと接するんだ、ということを自分で確認したいだけかも知れない。そう確認することはゆかりにとって別に寂しいことではなかった。エッチな気分になるための方法にすぎなかった。ゆかりは、寂しくないという状況と無縁に生きてきたために、寂しいという概念を理解できない。

「だからあ、わたしアナルって今まであまり感じたことないんだけど、だからびっくりしちゃった、ピンクローターも本当は痛いくらいなんですよ」

「へえ、そうなんだ」

「そうなんですよ、ここのクラブにはね、子どもの腕くらいあるバイブを入れちゃう女もいるんですよ、もうアナルとかすっごい拡がってて、それが洞窟みたいにホールになっててけっこう笑っちゃうんだけど」

「子どもの腕って？」

「はい？」

「子どもの腕って言っただろう？　今」

「ええ、そのくらいの太さのバイブがあるんですよ」

「だからさ」

「はい」

「幾つぐらいの子どもなの？」

「あ、小学生くらい」

ゆかりは相手が不機嫌になったのかも知れないと不安になった。怒って電話を切られるのはイヤだ。何でもやらせてあげる、と早く伝えなくてはいけない。

「わたしアナルはずっと痛くてだめだったんです、でもきょうピンクローターを入れても大丈夫だったな、きっとそっと入れられたからですね、また、やりたいです、あの、こんなエッチなことを言ったりしてわたしのことイヤにならないですか？」

「ならないよ」

「よかった、じゃあ、また、あれ、したいな、ほら、後ろにピンクローターを入れたままでセックスするってやつ、あれ、タカヤマさんも感じるって言ってたけど女もすっごい感じるんですよ、あのね、おまんことアナルの境目ってこれが薄いんですよ。だからピンクローターの震動もしっかり感じるし、そのすぐ隣にあるタカヤマさんのおちんちんも一緒に震えてるような感じでもう本当にすごいんです、ああいうのまたぜひやってみたいなってずっと電話待ってたんですよ」

この女はいったい何を言ってるんだろう、と高山は思った。

少し酔った勢いで面白半分にいたずら電話をかけただけなのに、たぶん誰か他のやつと間違えているのだろうが、おまんことかピンクローターとかベラベラ喋りやがって風俗の女ってみんなこうなのだろうか。

「今、どこのバーにいるんですか？」

「うん、まあね、大人の雰囲気っていうの、そういうバーだけどね」

高山は青山通り沿いにある飲み屋がたくさん入っているビルの入り口付近で携帯を使って電話していた。人通りがかなり多くて、どこかの店からのピアノ演奏が洩れてくるので電話口で聞くとバーにいると勘違いしてしまうかもしれないな、と思った。そうでなくても人間は不思議なもので、バーにいると相手に言われると、そうなのかな、と思ってしまうものだ。

「音楽が鳴ってますね」

「そうだね」

「あたし、行ってもいいですか？」

「あ、ここは友人と来てて、もうすぐ出るんだ」

「えーっ、それでもう帰っちゃうんですか？」

高山はこの女と会ってみようと思った。このところずいぶん女と会っていない。会社の女は、高山がセクションを移ってから周囲一メートル以内に近づいてこなくなった。何でオレが第二営業なんてところに異動にならないといけないんだ。高山は、そう呟くと、思いがけず奇妙な女のエッチな話が聞けたという高揚感が急にしぼんでいくのがわかった。会社のことを考えるのは止めよう、今夜はそう決めていたのに、また思い出してしまった。やはりこの異様に偏差値が低そうな女と会うことにしよう、この女なら何をしたって誰にもばれることがなさそうだし。

「じゃあね、一時間後に今から言うお店に来てくれる？　渋谷なんだけどね、普通のバーなんだけど、今から電話番号言うよ……」

女は、じゃあ行きます、と甲高い声でうれしそうに言って、電話を切った。高山は口笛を吹きながら、女が言った洋服の特徴を実際にイメージとして思い描きながら、ロッカーにしまってあるスタンガンを取りに会社に戻ることにした。

Vol. 5

小出

高山の会社は青山通り沿いの有名なペットショップのすぐ裏手にあって、もともとは、区や町のコミュニティホールとか商店街とかデパートで催される小規模なイベントの企画運営などをやっていた。他にはカラオケビデオの制作、PR雑誌の編集などもやっていたが、バブルが弾けてから仕事は一挙に減った。都内や首都圏で、イベントと呼ばれていたわけのわからない催し物、つまり具体的にいうと三流の奏者を使った室内楽のコンサートや怪しげなカクテルの夕べやボージョレヌーボーの会、学者や文化人やタレントのトークショー、宝石や版画や工芸品の展示即売会、それにキネティックアートや3D映像やマルチメディアショーといったものは消滅した。カラオケの映像はビデオではなく衛星通信システムになり大半のPR雑誌は潰れるか大幅に縮小されるかした。百人以上の社員を抱える会社はふいに仕事が半減したのだ。

高山は地方の私立の美術大学を出て社員が数名という小さなデザイン会社に三年勤めたところで、イベントの仕事を通じて、スカウトされた。大学では中世ビザンチン美術と商業デザインを専攻したが、親の金で遊ぶのに忙しくてとりあえず単位は取ったが技術は何も身につかなかった。

高山は、人口十万の地方都市でクリーニングのチェーン店をやって成功した努力家で高圧的な父親と、ヒステリックで虚栄心の強い母親の次男として育てられた。四歳上の兄とは非常に仲が悪かった。父親似の兄は自信家で、ごく小さい頃からストレスを発散するために高山を殴った。そういうとき、父親は兄の側につき母親は高山の側に回った。母親は幼児の高山にゴッホの画集を見せブラームスのシンフォニーを聴かせるような中途半端な教養のある女だった。あなたはおとうさんやおにいちゃんとは違うんですからね、きれいな絵を描いたりきれいな音楽を作ったりきれいな詩を書いたりする大人になるのよ、みたいなことを高山は母親から言われ続けた。あの日本海のくそみたいな田舎じゃなかったら両親はきっと離婚していただろうな、と高山は思う。父親が本当のところ母親をどう思っていたのかはわからないが、母親は父親のことを心底嫌ってバカにしていた。兄はそういう母親への反発から高山を標的にし、そのことで母親はますます高山をかばい甘やかし溺愛《できあい》した。

　母親似の高山は中二で兄より背が大きくなり、ある日それまで殴られっ放しだった兄に初めて抵抗した。喧嘩《けんか》に慣れていなかったので限度も知らなかった高山は、兄の片方の目を失明させ鼻の骨を折った。ぐちゃぐちゃになった兄の顔と、両親のそれぞれの反応は、高山を深く混乱させた。父親は高山を怒鳴りながら殴りつけ、母親はそういう父親にヒステリックに対抗して、この子はとにかくずっと虐《いじ》められてきたんですからね、と兄と父親の悪口をえんえんと並べ立てた。ごく小さい頃から高山は兄に対してずっと複雑な気持ちを抱いてきた。決して嫌いではなくどこかで憧れていて、それでいてはっきりと憎んでいた。もっと仲良くなりたかったし、いつか大きくなったら殴り殺してやろうと思っていた。顔をぐちゃぐちゃにされてから兄は高山に対して卑屈な態度を見せるようになり、父親はそのことを決して許さず、母親はさらに溺愛するようになった。高山は兄の顔をぐちゃぐちゃにしたことがどういうことなのかわからなかった。栄光のときがやってきたという思いと、絶対に取り返しのつかないことをしてしまったという思いが、整理されないで残って高山は苦しんだ。

「おや、こんな時間になんだタカヤマ、酒の匂いをさせて残業か？」

　入り口で守衛に挨拶してオフィスに行くと、モリグチという同僚がパソコンのキーボードに向かっていた。

「いや、忘れ物したんで」

高山がそう言うと、モリグチは、ふうん忘れ物ね、と独りごとのように呟いてから鼻で笑った。バブル絶頂の頃、高山はイベントを多く企画して、それらはすべてもっとメジャーな人々の完全な真似の企画にすぎなかったが、それなりに成功した。モリグチはそういうことが崩壊した後、ハンガリーとチェコの放送局と契約して千円を切る値段のクラシックのCDを作り、結局その仕事が会社を救った。高山は、第二営業という新しいセクションに他の数十人の同僚とともに回された。いくらがんばっても絶対に新規の契約なんかできないセクションをつくりました。あなたはそこに移しますから会社の気持ちを察してできるだけ早く辞めて下さい、というわけだ。半年間でほとんどの同僚が辞めていったが、高山は残った。辞めないで残ることで会社に対して復讐するなどと思っているわけではない。新しい会社や仕事を探すのが面倒だったのだ。人生の新しい局面を切り開く気力なんかとっくの昔になくしていた。

ふうん、忘れ物ね、と言ったモリグチは、まるで自分以外には誰もこのオフィスに存在していないかのように完璧に高山を無視して下を向きキーボードを叩き続けていた。口笛を吹きながら仕事を続けるモリグチに高山はムカついた。ふうん、忘れ物ね、という言い方は、忘れ物ってタカヤマそれはお前自身のことじゃないのか、という風に聞こえた。だってタカヤマお前はこのオフィスで一番忘れられている男だからな。モリグチの顔をぐちゃぐちゃにしてやりたかった。兄の左目を潰し鼻を折ってから、限度を超えた怒りが起きると、誰かの顔を壊したいという衝動が生まれるようになり、東京に出てきてから高山はそれを実行するようになった。怒りを向けるべき当人ではなく、まったく関係のない人間を通り魔的に襲った。当人を狙うと犯行がバレる恐れがあったし、兄のことを思い出しそうでいやだった。

高山はロッカーからシェイバーケースに入ったスタンガンを取り出し、ポケットに入れてオフィスを出た。じゃあお先に、と声をかけたが、モリグチは返事をしなかった。バカだなお前は、と高山は思った。お前がそうやって他の人の気持ちを踏みにじったりするから他の誰かが迷惑するんじゃないか。

電話で約束したバーの表で煙草を吸いながら高山は女を待った。会社と原宿駅のちょうど中間あたりに、個人の洋館を改装してできたそのバーはあって、時間が遅いためにそのまわりは人通りが少なく、すぐ傍には、整備したあとフェンスが取り払われている都立高校のグラウンドがあった。モリグチの野郎のせいで女の名前を忘れてしまったな、と高山は思った。でもあの電話の感じからするとひどく頭が悪い感じだった。偏差値が40とか45とか。このバーは今、業界の人達に人気があるからこんな時間に一人でのこのこやってくる女でバカな顔をしたブスはそういないはずだ。それにその女があの女でなくても全然かまわない。高山が立っている場所から高校のグラウンドが見える。いつも思うのだが東京の学校のグラウンドは、学校のグラウンドに見えない。田舎では学校のような大きな建物は少ないし学校そのものも少ないからそのグラウンドもよく目立つ。東京の学校のグラウンドは夜見ても神秘的ではない。ビルの谷間にあるただの広い空き地と何も変わるところがない。

煙草を二本吸ったところで青山通りのほうから女が歩いてきた。暗がりでもよく目立つ、とても変な格好をしている。白のエナメルのハーフコートと白の踵《かかと》の高いブーツと縁の広いやはり白の帽子と白のマフラー、幼稚園の学芸会の白雪姫の小人みたいだと高山は思った。間違いないような気がした。普通の偏差値の女だったらこんな格好はしないだろう。

「あの、ちょっとすみません」

近づいてきたところで高山がそう声をかけると、はい、と妙に甲高い返事とともに女が顔を上げた。やはりこの女だ、と高山は思った。声が同じだったし、全体の印象もイメージ通りだった。

「ぼくはタカヤマの友達なんだけど」

そう言うと、女の顔にうれしそうな表情が拡がった。笑うと女は恐竜の子どものような顔になった。そういえばからだつきも何となく恐竜の子どもに似ていると高山は思った。からだや顔のどこにも可愛いところがなくてよかった。そんなことはあの電話を聞いた限りあり得ないけど、万が一きれいな子だったら惜しいなという気持ちになって、そういう気持ちになると犯行にとっては何よりも危険な、ためらいというやつが生まれてしまう。

「ああ、タカヤマさん、それで今タカヤマさんはどこにいるんですか？」

「あのバーだけど」

「うん、よく知ってますよ、よくテレビで映りますよね」

「混んでるんだ」

「あ、そうなんだ」

「うん混んでる、それで今一時でしょ、一時半にタカヤマが予約を入れてるの、おれはちょうどこのあたりに住んでるからあなたを待つようにタカヤマに頼まれてさ、あいつすごい勝手なやつで、まあ、おぼっちゃんだからしょうがないんだけど、こういうこと平気で人に頼むんだよ」

「あー、わかるような感じする、私も実は今夜初めて会うんですよ、でもね、声の感じとかで、ああそういう人なんだろうなって思った」

「そうか、それでタカヤマはこの先のちょっとした店にいるらしいんだ」

「どういう店なのかな」

「あ、おれ知ってるけど、あのね洋風懐石の店だ、この坂をね、ずっとまっすぐ下りていく、そしたらもう閉まってるけどジーパンとかの古着屋が並んでるんだ」

「そのあたりわたし知ってるかも知れない」

「その古着屋の斜向《はす》かいだ」

「どうも親切にすみません」

白雪姫の小人の衣装を着た恐竜の子どもは、軽く頭を下げて、その場を離れ歩きだした。高山はその後ろ姿を十秒見送ってから、おーいと声をかけて走りだし、坂道とグラウンドがちょうど接するあたりで女に追いつきポケットの中のスタンガンの電源をオンにしながら取り出し、振り向いた女の首筋のあたりに先端の金属のピンを押し当てた。女のからだがぐにゃりと崩れた。意識を失った女をグラウンドの隅に引きずっていって、適当な大きさの石を拾い、女のからだに馬乗りになってまず口を叩きつけた。どういうわけかわからないのだが、今までの経験から高山は歯を折ると失神状態の人間が意識を取り戻すことを知っていた。この女は意識のないまま顔を潰されるべきではないと思った。石が歯に強く当たって火花が出た。歯が折れる音。根本から折れた歯は地中から芋が抜けるような間の抜けた鈍い音を出し、途中から欠けた歯は金属的なもっと硬い音を出した。口全体から血が溢《あふ》れて女は目を開けた。何か叫ぼうとするがスタンガンで筋肉が弛緩《しかん》しているのと口から温泉みたいに血が吹き出ているために声は出ない。これだ、と高山は思った。この、女のびっくりした顔と、何かとんでもないことが起こっているのに自分もまわりも何一つとして変わっていないという奇妙な感じ。目と鼻に石を叩きつけた。高山は血のついた手をハンカチで拭き、死んでない、と呟いてその場を去った。

「そりゃそうですよ、お客さん、誰だって気になりますよ」

高山はタクシーに乗って、お喋りな運転手と興味深い会話をした。運転手はメーターの横のネームプレートを見ると、小出、という名前で、自分の高校生の娘のことを話した。それはあまり明るい話題ではなかったが、運転手はまるで他人事《ひとごと》のように時折笑いを交えながら話した。

「あたしは絶対に堕胎だと思うんですよ、男だからそりゃ詳しいことはわからない、女房はあっちのほうがなくなっちゃってからもう長いこと経つし、それこそつわりとかね、つわり、突然酸っぱい物欲しがるとかそのくらいしか知識はないですよね、男は」

「まあそうだよね」

「そうですよ、でも何と言うんですか、やはり勘だね、だから風邪だって言って帰ってきてね、ずっと寝てるんですよ、青白い顔してね、確かに風邪薬飲んでますよ、あと栄養剤だね、ユンケルとかそういうやつじゃなくて、病中病後によく効きますってやつがあるでしょう、あれをずっと飲んでるんです、それで電話で、もうこそこそこそこそずっと話してるんです」

「それでなくても若い子はよく電話するものね」

「そうですよ」

小出は客の顔を見ないで話し続けた。乗り込んできたとき一度顔を見たがそれからは見ない。客に限らず人間の顔を見るのは好きではなかった。

「お客さん、高速に乗ってもいいですか、この時間だったらさすがに空いてるんで」

「ああ、もちろん、乗って下さい」

「それでね、その電話の内容がわかればいいなってこの二、三日ずっと思ってたんですけどね、かといって盗み聞きするのはいやだし、それでね、昔、妙な客を乗せたことがあってね、あれ、あたしが運転手を始めてすぐの頃だからもう三、四年前ですけど、その人は精神科のお医者らしいんですけど、その人の病院にある女が入院してて、その女は電話とかほらビデオの線っていうかケーブルっていうのかそういうのの、中を流れる電気の信号が見えちゃうらしいんです……」

Vol. 6

康子

「……そんなこと信じられますか？　最初はわたしも信じられませんでしたね、その人は精神科医なんかではなくて、患者さんじゃないかってね、服装も医者には見えなかったし、あれなんていうんですか、今時のサッカー選手とかが着てるような、裾《すそ》の長いビニールのコートみたいなやつを着ていたし、こう、髭とかも生やしてたしね、でも、不思議な雰囲気のある男でしたよ、頭が良さそうっていうか、こう、目が、ぐりっと大きくてね、背とかはそう高くないんですけどね」

そうですか、と客はバックシートに深くもたれかかったまま、言った。こいつ、全然、人の話をまともに聞かねえやつだな、と小出は思った。小出は乗車した客となるべく話をするようにしている。話が好きだからではない。その反応によってどんな客かわかるし、自分の精神衛生にもいいんじゃないかと思ったからだ。今は確かに不景気だが、強盗のたぐいが増えているわけではない。増えているのは、変なやつだ。ついこのあいだも、同じ会社の運転手仲間が、カッターナイフで首を切られてひどい怪我をした。犯人はごく普通の中年のサラリーマンで、薬をやったり、酔ったりしていたわけではなかった。そして首ではなく、髪の毛を切ろうとしたのだそうだ。

わたしの同僚で髪を長く伸ばしているやつがいていつも不愉快な思いをしているのでつい目の前でまるで床屋の椅子に坐っているような運転手さんの髪を切ってやろうと思ったんです、首を切ったあとも逃げずにタクシーの中に残って血だらけになりながら運転手の髪を切り続けていた中年のサラリーマンは、警察の取り調べでそう答えたらしい。そういう変なやつが多いので、客の態度や物腰や喋り方には充分注意するようにと会社からも言われている。注意しろと言われても、変なやつは一目でわかるわけではない。借りてきた猫みたいにおとなしいやつが、後ろからクラクションを鳴らされたとたんに切れて何か叫びだすこともある。相手に話しかけることは、自分の神経を落ちつかせる効果もある。昔はよくラジオを聴いたが、今は、長く聴いているとなぜかイライラしてくる。元気よく喋るアナウンサーほど、その声が何か、例えばよく研いだ鉛筆の芯のようなものに変質してこめかみに突き刺さってくるような痛みを感じてしまう。五年前、タクシーの運転手になったとき、しばらくやっていると乗車してきただけでどんな客かわかるようになると先輩たちに言われたが、今はそんなにわかりやすい客はいない。若い客は、応対から判断すると、まともな感じがする。反応が、どちらかといえば鈍いというか、こちらが話しかけてもあまり乗ってこない元気のない客のほうが信用できると小出は思っている。小出が見聞きする限り、世の中にも自分自身にも元気の出るようなことは何もないからだ。

池尻から首都高速に乗ってからも、客との共通の話題が何もないときに話すことにしているその精神科医の話を、小出は喋り続けた。

「でも、何て言うんですか、そういうその辺の兄ちゃんみたいな格好をしてる人ほど本物なんですってね、今時お医者とか学校の先生で三つ揃いなんか着てる人って下っ端なんですってね、その人はかなり有名な人らしくて、何でそういうことがわかったかというとね、海外の学会の話とかするんですよ、なんでもその、ケーブルとか、電気の線の中を走る音や映像が見えるっていう女のことをね、学会で発表するんだって言ってね、そんな大事なことをわたしなんかに喋っていいんですかって言ったんですけどね、そのときわたしはまだそんなことを信用してませんでしたからね、いや、その奇妙な女の話ですよ、でもその精神科の先生はわたしみたいな蛙の脳味噌の人間にもわかるように、懇切丁寧に説明してくれたんです、いや、そのときはわかったんだけど、今お客さんに、わたしが説明できるかっていったらできないですよ、わかってもらえないと思いますよ、でもね、そのあと、わたしは脳とか細胞とかにすごく興味が出ちゃってね、本をたくさん読むようになったんですよ、それで何となくわかったんです、つまりですね、わたしたちの脳味噌を流れてね、こうやって色や形を見たりね、音を聞いたりしているのも電気の信号らしいんですね、先生みたいにうまく言えないんで勘弁して欲しいんですけど、要するに電気らしいんですよ、それで、電話や、ビデオのケーブルを流れてるのももちろん電気なわけで、それで電気っていうのは、例えば動物によってはですね、触らなくても感じることができる場合があるそうなんです、例えば、こうもりですけどね、お客さんはＮＨＫとかでよくやる自然の動物の番組なんかよく見ますか、わたしはあまり見ないんですけど、こうもりなんか有名らしいですね、狭い洞窟とかで何百羽っていうこうもりがお互いにぶつからずに飛び回るわけでしょう、あれは電子を出して、その電子がぶつかることで、あれ、違った、電子じゃありませんね、あれは何て言いましたかね、超音波でした、超音波を出して、お互いにぶつからないようにするらしいんです、で、そのときにこうもりが何を見ているのか、何を聞いているのかといったことは、いやそれは具体的な神経信号としてですけどね、今の科学じゃわからないらしいです、我々人間とは違った、知覚を持ってるわけでね、あと、何でしたかね、確か微生物だったと思うんですけど、南米とかアフリカの沼地とかにいる微生物で、電子の流れを栄養にしてるやつがいるみたいなんです、あのね、普通だったら、電子とかそんなもの、栄養になんかならないんですよ、栄養というのは基本的に糖分とか蛋白質とか脂肪とか、いわゆる有機化合物なわけなんでね、有機化合物ってね、言葉の響きですけど、いいと思いませんか、わたしたちのからだは全部それでできているんです、それ以外のものはないんだ、だから皮膚とかこういう風に柔らかくて、女の子のお尻とか触ると気持ちがいいわけです、だから何かやろうと思いましてね、勉強ってほどのことじゃないんですけどね、その精神科の先生を乗せてからすごく興味がわいたんですね、失敗したなあと思いますよ、どこの大学だったか聞いておけば、名刺を貰うとかしておけばよかったななんてね、その女の子がケーブルの中を流れる電気の信号を見たり聞いたりできるっていうのは、別に超能力じゃない、たぶん物理的に見れるわけだ、電磁波っていってもそれは結局のところ電子の流れだから、小さい、本当に小さいわけで、まあ、ある種の波ですよね、波、その波をその女の子が、見れる、と考えるから不思議なことになっちゃうわけで、その電子の波に、襲われる、とすると、つじつまが合うんです、合うんだ、癌ですよ、例えばいい例が癌ね、癌は最近、治るとか治らないとか、免疫がどうの、脳内代謝物質がどうのとうるさい、癌はあれは別の生物なんだ、癌は宇宙から来たか、そうであるとも言えるし、そうでないとも言える、そもそも、宇宙なんてことをそう簡単に言われたら困る、遺伝子がどういうものか、それだってわかったようでわからないんだから、わかりませんよ、グアニン、アデニン、シトシン、チミン、これですよ、これ、これがわたしたちのからだを全部コントロールしてる、これにウラチンってやつもあるんですけどね、あとミトコンドリアね、化学なんです、遺伝子って今はその辺の子どもだって知ってるような顔をしてますけどね、それは誰だって言えるよ、呪文みたいに言える、グアニン、アデニン、シトシン、チミンってね、ウラチンじゃなくてウラシルだったかな、チミンじゃなくて、シニムだったかな、それじゃ遺伝子と染色体とどう違うのかって、誰もわからない、染色体はコイル、そのコイルはもっと小さなコイルでできてて、そのコイルももっともっと細いコイルでできている、その一番小さなコイルが、DNAだ、ゲノムって今はいうらしいけど、ゲノムは冗談みたいに長い、エキソンとイントロンなんだ、何もはっきりしたことはわからない、じゃあ、癌細胞は別の生物かって、これこそが突然変異なんだ、すべてがね、例えばわたしのからだに紫外線を放射するとしますね、日光浴でもいいんです、あれからだに悪いらしいです、わたしの娘は昔千葉のなんとかっていう海水浴場でひどく日に焼いて、それがひどいシミになってね、紫外線がなぜ癌になりやすいかっていうと、それはヒトゲノムを切断するからなんだね、遺伝子を切断するんだね、遺伝子っていっても、これが簡単じゃなくて、まず、信じられないくらい長いの、ヒトのゲノムを全部伸ばすと十センチくらいあるらしい、十メートルだったかな、十キロだったたか、とにかく長い、ものすごく細いけど異常に長い、マントヒヒのちんぽこみたいなものだ、マントヒヒといえば、わたしの生まれは千葉と茨城の境目なんですけどね」

首都高の環状三号線から東名高速に入った、対向車のヘッドライトと、決まった間隔で並ぶ照明の黄色い灯が後方に流れる。

小出は深夜の高速道路を走るのが好きではなかった。現実感がなくなりそうになるからだ。小さいときから、自分は本当にここにいるのか、こうやって考えている自分は本当に自分なのか、からだと意識がそういう状態になってしまうことがある。今でもときどき小出は両手を軽く拡げて目の前に上げ、この手が自分の知らない間にグニュグニュグニュグニュと伸びていくのではないかとじっと見たりする。子どもの頃から、ときどきそういう風に現実感を失いそうになるときがあった。自分だけにしか感じられない濃い霧があたりを被って、まわりの世界がちょうどワイドレンズで覗《のぞ》くようにどんどん遠くなっていく。同じような感覚を持った者は家族にも親類にも友達にもいなかったので、世界が遠くなっていくのはものすごく恐かったが、誰にも言えなかった。

小出は父親が近所のペンキ工場で働き、母親が狭い畑にとうもろこしと落花生を育て、二人の兄はそれぞれ剣道とモトクロスに夢中になるといった、そのあたりの街ではごく普通の家庭に育ったために、例えば精神医学の本や、自閉症や離人症という言葉とも無縁だった。

まだ、日常に支障があるわけではなかったので、ときどき現実感を失うことは普通に誰にでもあることなのだろうと小出は思っていた。みんなそういうことをときどき経験していて、ただ話すようなことでもないので黙っているのだろう、そう思っていた。

小学校の高学年のとき、近所に小さな動物園ができて、家族で出かけた。マントヒヒの檻《おり》の前に来るまでは楽しかった。芝生の上で弁当を食べ、普段はあまり喋らない父親が缶ビールを飲んでよく話をするのを見るのはとても楽しかった。三匹いたマントヒヒのうちの一匹が、オナニーをしていた。赤くて細い性器が信じられないくらい長く伸びるのを見て、まわりの風景がいつものように何か変になっていくのがわかった。小さいときからこれまでにまわりの景色が現実感を失うという経験は数え切れないほどあったが、そのマントヒヒの性器は特別によく憶えている。他の、何か爬虫類《はちゅうるい》の舌のような、赤く細いサルの性器は、どこまでも無限に伸びていきそうだった。グニュグニュグニュグニュグニュという音も聞こえてきそうだった。

小出の場合、非現実の前兆と象徴は、日常的な時間や空間が切断されるというイメージではなくて、自分を含めた動物のからだの一部や器官が突然伸縮を始めるというものだ。奇妙な女の患者を持つ精神科医が客として乗ってきて、いろいろな話をしてくれたとき、小出は初めて人間の精神やからだに興味を持ち、本を読むようになったが、遺伝子が非常に細くて長いものだと書いてあるところで、止めた。DNAがマントヒヒの性器のようなものに思えてきたからだ。対向車のヘッドライトと、道路上のポールにつけてある黄色い灯は、通り過ぎていくスピードが違う。そのズレの間に、何かが現れてグニュグニュグニュグニュと伸びていくようないやな感じがある。恐くなって、小出はこのまま車をどこかにぶつけてしまおうという考えにしばらく耐えなくてはならなかった。

東名を川崎で下りて、府中方面にしばらく走り、客をモルタル造りのアパートに送り、帰りは２４６を戻ることにした。深夜営業のラーメン屋の前で、中年の女が手を上げて立っていて、小出はその女を乗せた。女は、ああ寒かった、と言って乗り込んできて、板橋、と行き先を告げ、携帯電話を出して話し始めた。

「はい、あたし、なんだ、まだ起きてたの、うん、御飯、ちゃんと食べた？　冷蔵庫の中に、グラタンがあったでしょう、電子レンジに入れればすぐ食べられたのに、ちょっとね、お客さんを送っていったからこんな時間にね」

女は三十代の終わりか四十代の初めで、化粧はそれほど濃くなく、上品な匂いの香水をつけていた。水商売にしては上品だなと小出は思った。女房が死んだのもちょうどこのくらいの歳じゃなかったかな。

「しょうがないでしょう、送ってくれって言われたんだからバカ言わないでよ、横山さんよ、あなたが考えてるような人じゃないわよ、お店が終わってみんなでご馳走になったんだからね、あなた明日会社なんだから、もう寝なさいよ、起きてるって知らなかったから留守電に入れようと思ったの、ほら、チビの餌《えさ》もうなくなってたから、明日買っといてくれないと、え？　何？　ちょっと、テレビ消しなさいよ、よく聞こえないわよ」

やはりこの子は少しだらしのないところがある、と康子は妹のことを思った。自分が遅くなることはわかってるのに、まだ寝ていないで、テレビを見ている。せっかく新しい事務の仕事が見つかったのだから、それに、深夜のテレビは本当に下らないものが多いから、夜更かしするんだったら、まだいい映画をビデオで借りてみたほうがいいということも言った。でも、あの子は昔から寂しがりやだったから、自分が帰ってくるまで待っていたかったのかも知れない、康子はそう思って、すぐ帰るから、とできるだけ優しく言って、電話を切った。

康子というのは本当の名前ではない。本人以外誰も本当の名前を知らない。一緒に住んでいるのも本当の妹ではなかった。どこだったか、確か池袋で拾ってきた女の子だ。妹ということで一緒に住もうと言うと、泊まるところのなかったその女の子は喜んでついてきた。妹として若い女の子を飼っては捨てるということを繰り返して、七人目だった。

Vol. 7

明美

「お客さん、夜になるとさすがに冷えますねえ」

運転手が話しかけてきた。知らない人と話し始めるときには、まず名前を決めなくてはいけない。名前は重要だ。明美、という名前にしようと思った。わたしは明美だ、そう自分に言い聞かせると安心する。わたしは明美だ、わたしは明美だ、わたしは明美だ、わたしは明美だ、わたしは明美だ、わたしは明美だ、わたしは明美だ、わたしは明美だ、わたしは明美だ、わたしは明美だ、わたしは明美だ、わたしは明美だ、もう大丈夫、わたしは明美だ。明美はそうやって、きっちりと三十回その名前を心の中で呟いた。

「本当、まだ冬になられると困るのよね」

「まったくです、ただ季節は待ってくれませんからね」

「そう、季節は待ってくれないわ」

「こういうこと言うと失礼かも知れませんが、なんて言うんですか、その、おきれいですよね、わたしなんか商売柄すぐどんなお仕事なんだろうって考えてしまうんですが、時間的にこの時間は本当に失礼なんですけど、水商売の方が多いんですよね、でも、お客さんは違うな、最初そうかなって思ったんですが、違いますね、違うでしょ？」

「そういうことはわからないわよ、わたし水商売かも知れないわよ」

「いや、喋り方からして違うもの、最近のホステスさんはね、喋り方から知りませんからね、女子高生と変わるところないですから」

「わたし、ホステスですよ」

「え、本当ですか？　それは信じられないなあ」

　明美は十六歳のときからホステスをしてきた。生まれは北陸の中都市で、開業医の家庭に育てられた。小学生のときに自分は養女だと知った。本当の父親は、それまで「おじさん」と呼んでいた人物らしかった。おじさんは南米に住んでいて三、四年おきに明美の家を訪ねてきていた。そのおじさんが本当の父親だということは両親から聞いたわけではない。そのおじさんのもう一人の娘が突然家を訪ねてきたのだ。明美は十一歳で、そのとき家には誰もいなかった。もう一人の娘は明美より七歳年上で、やっぱりあんたもきれいね、と最初に言った。その女は、おじさんについていろいろと話してくれた。不思議なことに、それ以前はおじさんについて印象が強かったのに、その女から話を聞いたあとは記憶が曖昧になってしまった。無理に忘れようとしたわけではないのに、今は顔も憶えていない。おじさんがどういう人だったかも今はわからない。その女は二度と訪ねてこなかった。そのとき、近所の公園に行って二時間近く話したが、その内容はまったく憶えていない。ただ、女は何度も、やはりあんたもきれいだ、ということを言った。その女もきれいな顔をしていた。明美はそのことを両親にも誰にも言わなかった。言わないようにしたわけではない。そのことを考えると頭が割れそうに痛くなって、自然に自分でそのことから離れるようになったのだ。その女が訪ねてきてから二年後、中学校に入ると明美はいろいろな男たちとセックスをするようになった。二度妊娠して、中絶した。何度も家出を繰り返し、そのたびに家に連れ戻されたが、十六歳になって、京都から来ていた商社員と知り合い、その男と逃げた。それまでは、同級生とか地回りのちんぴらとか、相手が土地の人間だったのですぐに逃亡先を突き止められていたのだが、両親はその商社員の京都のアパートを見つけることができなかった。商社員とはすぐに別れたが、次の男はすぐに見つかった。盛り場を一人で歩いたり、スナックで一人で飲んでいたりすると、すぐに男が声をかけてきた。明美は男をすぐに替えた。飽きるというより、他の男が寄ってくると、そしてその男の態度や容姿が許容範囲で熱心に口説かれると、すぐ関係を持ってしまうのだ。十八歳までは主にやくざものと付き合った。相当な幹部の女だった時期もあるが、クラブのホステスはずっと続けた。クラブで働くことは好きだった。いろいろな男と出会えるからだ。

運転手に自分はある有名な作曲家の愛人だという話をした。

「へえ、わたしはそういう境遇の人はなんていうんですか、不幸な人の代名詞みたいに考えていたんですけど、違うんですねえ、人生ってのは深いんですねえ」

「深いっていうか、思い通りにならないことばかりだけど、それでも生きていく価値はあるってことよね、わたしは、大学を出たばかりだから、二十二のときに彼と知り合ったんだけど、若かったのね、運命的な出会いだと思ったわね、世界中でこの人しかいないんだっていう感じ？　それで、その頃彼はもう四十歳近くで、もちろん家族ももっていたわよ、奥さんと別れて、わたしと結婚してくれるものと思っていたけど、そんなに甘くはないわよね、それから、もう二十年近く経つけど、どういうのかしら、彼と結婚していたら、こんなに愛情が長続きしてたかどうかわからないとよく思うのよ、彼は音楽家だけど、本もたくさん出しているから、ときどきわたしなんかにはあまりよくわからないことも言うのね、例えばね、人間がどうやって近親相姦を防いでいるかっていうとね、男はほらセックスができるためには攻撃本能っていうの？　それがないとできないらしいのね」

「あ、それわかるような気がするなあ」

「でしょう？　ずっと一緒にいると、男ってセックスしなくなってくるじゃない？　それってよく飽きたなんて言われてきたわけなんだけどね、そうじゃなくて、ずっと一緒にいると、親しくなりすぎて……娘っていうのはずっと一緒にいるわけで、大きくなって、ほら、胸とかが大きくなってもね、セックスしたいなんて思わなくてすむわけよね、だから、ずっと離れていて、大人になってから会って、間違いを犯してしまうみたいなことがよくあるわけでしょう」

ほう、やっぱりものを書いたりする人ってのは、私らなんかとどっか頭の構造が違うんでしょうね、と運転手は感心していた。明美は、攻撃本能がないと男はセックスの欲望が起きないという話が気に入っていた。その話はある大学の教授だった男に聞いたものだ。教授とは銀座のクラブで知り合って、二度寝て、その頃はやくざものと同棲していたので、あとで脅して、当時の金で二百万ほど取った。恐喝が成功したが、教授はそのことが原因で大学を辞めることになり、格式の高いクラブだったので、やくざものがバックにいるということがばれて、明美も店をくびになった。そのやくざものとは、そのあとすぐに男と女の関係ではなくなったが、それから十数年たった今でも付き合いはある。適当な客が見つかったときは、そのやくざものと組んで、まとまった金を取るために脅す。

「だからね、彼はわたしによく言うのよ、結婚はできない、でも、おれ達は一緒に生きていくんだってね、結婚してるかしてないかっていうのは、ハワイに行って一緒に空港の入国審査を受けられるか別々に受けるかくらいの違いだってね、まあ、それだけじゃないかも知れないけど、ただ一緒にいるだけっていう夫婦もいるわけでしょう？　一緒に生きていくっていう言い方はよくわかる気がするの」

そういうことを話すと、運転手は、最近妻を亡くしたばかりだと言って、ふいに涙を流し始めた。明美はこういう瞬間が大好きだった。こういうとき、自分の中で嘘が嘘でなくなる。自分が話すことはほとんど嘘ばかりだが、他人を感動させたり、恐れさせたり、影響を与えることができれば、それが真実でも嘘でもどうだっていいのではないかと明美は思う。それに真実なんてどこにもないし、あったとしてもろくなものではない。

「一緒に生きていければ、いろいろなことを一緒に経験して、その思い出と一緒に生きていける、歳をとって、その思い出を語り合いながら、いい景色の場所を一人で散歩するんだよ、なんてことを彼は言うのよ、ちょっと泣かせる台詞《せりふ》でしょう？」

一緒に生きていく、ということを言ったのは、赤坂でホステスをしているときに知り合った、辞書をつくっている出版社の重役だった。寝て、脅そうとしたが、相手もやくざものの知り合いがいて、事態は面倒になり、明美は赤坂にいることができなくなった。今まで数えきれないほどの男と関係を持ってきたが、ひょっとしたら明美はその出版社の重役が一番好きだったかも知れないと思う。寝たのは一回だけだったし、食事をしたのも二回だけだ。その重役は明美が虚言症だということを言った。おまえはかわいそうな女だ、きっとこれまでに何かひどい嘘をつかれてきたんだろう、と言った。そのとき明美は激しく怒ったが、今、神様が現れて誰でも好きな人に会わせてやると言われたら、あの重役に会うだろうと思う。ただどうしてあの重役が好きなのかはわからない。

「どうも、いい話を聞かせてもらってありがとうございました」

タクシーを降りるときに運転手がそう言った。

何となく予想していた通り、妹はまだ起きていた。ポテトチップスを食べ、ウーロン茶を飲みながら、深夜のテレビを見ていた。妹と同居を始めてからもう三週間になる。そろそろ追い出すときだ、と明美は思った。妹は太っていて、帽子が好きな女だった。荷物を運び込んだとき、ダッフルバッグの中は全部帽子だった。それもみんなひどい安物の帽子だ。顔は、全体が尖《とが》っていて、目が腫れぼったく、鼻は低かった。知り合ったのは池袋の東武デパートの地下の食品売場で、妹はうつろな目をしてベンチに腰掛け、レーズンパンをぼろぼろこぼしながらだらしなく食べていた。声をかけるとすぐについてきた。一緒に住む？　というと、レズの気が入っていた妹は、ものすごく喜んだ。荷物を運び込んできた日に、明美は妹に言った。

「基本的にわたしは優しい人だからあなたには優しくしてあげるわよ、ただね、一日に一度だけ、ちょっと変わったことをさせて欲しいのね、それはね、あなたの髪をつかんで顔を水に浸《つ》けるの、何でそういうことをするかわからないでしょう？　あなたはきっとつらい少女時代を送ってきたのだと思います、わたしも同じだからわかるのよ、あのね、いじめられて子ども時代を過ごしてきた人はね、自分のことがなかなか好きになれないのね、自分が嫌いで何とかして罰を与えたいと無意識のうちに思っているのね、それはすごくつらいことなの、それでね、その人がこの人ならすべてを捧げてもいいって思っている人から罰を進んで受けるとそれが救いになるものなのよ、いい？　毎晩一度だけ、わたしはあなたの髪をつかんで顔を水に浸けるわ、一週間もすると、あなた、自分が変わるのがわかるわよ、髪をつかまれて顔を水に浸けられるという儀式は昔インカ帝国で行われていた秘密の儀式なのよ」

明美は、若くて貧乏で気の弱いブスな女の子を拾ってきては捨てることで、自分の不運を背負わせることができると信じていた。うんと優しくしてあげて、そのあと顔を水に浸けたり、髪の毛をライターで焼いたり、縛って表に出したり、お尻にピンを刺したりしていじめてやると、あるタイプの女の子はそういうことが愛情だと思ってしまう。あるタイプというのは、ひどく不幸な家庭で育って、かつ、頭が悪い女の子だ。飽きるまで飼って、そのあと放り出す。そのときに大事なのは、自分で設定したある名前をその女の子につけてから放り出すことだ。

「さあ、起きなさい」

とその女は言った。じっとしていると、髪をつかんで立たせられた。

「きょうから、あんたの名前は明美よ」

いつもよりはるかに恐い顔をして、その女が言うので恐ろしくなった。自分は明美だと思うことにした。はい、わたしの名前は明美です、と明美は言った。髪をつかまれたまま、バスルームに連れて行かれて、裸になるように言われた。明美は言われるようにした。いじめられる、と思ったが、いつもと何かが違うような気がした。その女からいじめられるのは恐かったが、全面的にいやなわけではなかった。髪をつかまれて、バスタブに張った水の中に、少ないときだと数回、多いときだと数十回、顔を浸けられる。苦しいが、それさえ我慢すれば、その女は優しくしてくれた。とてもきれいな顔をしていて、きっとお店のナンバーワンホステスなんだろうが、お金もあって、雑誌でしか知らないブランドの洋服を何百着も持っていて、一緒にコンビニやファミレスに行くと注目されて気持ちがよかった。それに、水に顔を浸けられたあとは、自分が何か大切なことに耐えたような、重要なことを乗り切ったような気分になることができた。それは悪くなかった。だが、今夜はその女の様子がどこか違った。たぶん追い出されるのかも知れないと明美は思った。泣いて謝れば許してくれるような人ではなかった。明美は、その女のことが好きだったので、追い出されるのはいやだったが、抵抗はできないと思った。それでも、その女が帽子をバスタブの中で燃やし始めたときにはびっくりした。やめて下さいと何度も言ったが、その女は、あんたについている悪霊はみんなこの帽子に宿っているのだと言って、燃やすのをやめなかった。燃えかすの帽子が詰まっているバスタブにその女は水を入れた。明美は髪をつかまれ、顔をその中に浸けられた。いつもより長い時間顔を浸けられて殺されるかも知れないと思ったが、それならそれでいいのかも知れないと思った。髪の毛をつかんで明美の顔を揺すりながら、その女はいつものようにインカ帝国の話をした。

「あんたは馬鹿だから何にも知らないだろうけど、インカ帝国では、名前に魂が宿ると考えられていたのよ、だから名前を変えることは魂を変えることだし、名前を教えることは魂を預けることなの、あなたはこれから明美になって、一人で生きていきなさい」

明美は、帽子の燃えかすと一緒にマンションから出された。追い出されたときは裸で、からだが濡れていたから寒かった。マンションの廊下で、たった一枚だけ渡されたワンピースを着て、サンダルを履いた。どこに行けばいいのかわからなかったし、帽子が全部焼けくずになって悲しかったが、本当に悪霊が消えたような気もして、明美はとりあえず板橋の駅に行ってみようと歩きだした。

Vol. 8

薫

明美は歩きながら何度も後ろを振り返った。あのきれいな女があとを尾《つ》けてくるのではないかと思ったからだ。自分のあとを尾けてきて欲しいという気持ちと、あとを尾けてこられるのは恐いという気持ちが両方あった。上板橋の住宅街を歩く。このあたりはどういうわけか水商売の人間が多く住んでいるらしくて、建物にはまだ灯りのついている部屋がたくさんある。灯りのついているところだったらどこでも簡単に入っていけるような気がした。水を張った浴槽に顔を浸けられたり、髪の毛を焼かれるのを我慢しさえすれば、どの部屋の住人も気軽にドアを開けてくれそうな気がして、明美はふらふらとクリーム色のアパートに近づいていった。モルタル造りで、あのきれいな女のマンションより、庶民的だから、あまりひどいことをされずに、一緒に暮らせるのではないかと思った。二階の、灯りがついている部屋のドアのチャイムを鳴らした。

「なんだよ」

男が顔を出した。痩せて、目の細い四十代後半か五十代初めの男で、紺色のジャージーの上下を着ていた。こんにちは、と明美は挨拶して、お辞儀をした。泊めてもらえますよね、あまりひどいことされるのは困るんですけど。

「お前、アキヤマの妹か?」

アキヤマという名前には聞き覚えがなかったが、あのきれいな女からはしょっちゅう名前を変えられたので、ここではそういう名前なのだろうと思って、そうですけど、と明美は言った。

「病院はもう面会できないよ、いつ出てきたんだ」

男はそう言いながら、中に入れてくれた。狭い台所と六畳間だけの、みすぼらしい部屋だった。家具らしいものはほとんどなくて、本や雑誌の入った段ボール箱が何個か畳の上にあり、インスタント食品の匂いがした。ラーメンとかカップヌードルとかそういう匂いだ。布団が部屋の隅に丸められて、ラジカセから低く深夜放送の歌謡曲が流れていた。

「でも、電話でも言ったけどな、大丈夫らしいよ、胸の骨が折れてて、その破片がどこか内臓に刺さってたら危なかったんだそうだ、でも刺さってなかったからさ、しばらくかかるけど、治るんだってよ、骨折はとにかく時間がかかるから、気長に治さねえといけないな、保険がなあ、それも電話で言ったと思うんだけどよ、おれら、社会保険にも何も入ってないからな、これが難しいんだ、そういう団体もあるんだけど、そういうのに関わると、次から仕事が回ってこなくなるんだよ」

男は狭い台所に立って、お湯を沸かし始めた。男の喋り方はどこか北のほうの方言のアクセントが入っていて、それが明美を落ちつかせた。明美は、寒いところで生まれたが、田舎のことはもうあまり憶えていない。考えないようにしていたら、いつのまにか頭から消えていった。あのきれいな女に髪を焼かれたり水に浸けられたりしているとき、田舎のことを思い出すと頭が痛くなった。絶対に考えないようにした。あのきれいな女に会う前も、他の人に、主に男だったが、よく殴られた。父親もよく明美を殴った。あのきれいな女か、それ以前に泊めてくれた何人かの男のうちの誰かか忘れたが、ずっと人から殴られてきた人間は、目がうつろになるのだと言われたことがある。明美は自分の目がうつろだということを知らない。

「ひどい格好だな、知らせを聞いてそのまま来たのか?」

男が何を話しているのかわからなかったが、うなずいたほうがいいと思って、うなずいた。首を横に振って何かを拒否するよりも、うなずいて同意したほうが、ひどい目に遭う度合いが低い。それが何に対してだったか、誰に対してだったか忘れたが、いやだと言った瞬間に耳のあたりを殴られて、そのあと病院に行ったら鼓膜が破れていると医者に言われた。あのときは何日も痛みが消えなかった。自分のからだのどこかが痛むというよりも、自分のからだの外に痛みという別の生き物がいてそれが規則的に襲ってくるようなそんな感じだった。部屋に入ってきたときは気づかなかったが、丸めてある布団の横に何か小さな動物が檻の中に飼われていてかさかさ音をたてながら動き回っていた。明美は動物が大嫌いだった。

「じゃあ、おふくろさんは明日来ることになってるのか？　あんたは夜行で来たんだな」

男にそう言われて、明美はまたうなずき、部屋の隅の小動物のほうを見た。

「ああ、あれは、ヨシオっていうんだ、かわいいだろ、ヨシオっていうのはおじさんの息子の名前なんだけども、一度ここに来てさ、あのハツカネズミが自分と同じ名前だって言ったら、怒りやがってよ、でも、やっぱり寂しいからな、こう、名前を呼ぶ相手がいると安心するんだ、あんたはなんて名前なの？」

アケミ、と言った。

「そうか、アケミさんか、アケミさんは腹へってねえか」

少し、と答えた。すると、男は、コンビニで何か買ってくると言って、蛍光色のオレンジ色のビニールジャンパーを羽織り、明美を残して外へ出ていった。明美はネズミを殺そうと思った。台所へ行き、流しの中に汚れた鍋を見つけた。肉と野菜の屑《くず》がこびりついて、それが腐っていていやな臭《にお》いがした。洗わずにそのまま鍋に水を入れ、台所の床に置く。ネズミを檻ごと持ってきて、その鍋の中に浸けようとしたが、檻が大きすぎてうまくいかなかった。ネズミは甲高い声で鳴いていた。お前の名前はヨシオじゃなくて、と明美は呟いた。お前の名前はヨシオじゃなくて、お前の名前はヨシオじゃなくて、お前の名前はヨシオじゃなくて、お前の名前はヨシオじゃなくて、お前の名前はヨシオじゃなくて。他の名前を考えられなくて、あのきれいな女はどうしてたくさんの名前を考えることができたのだろうと不思議に思った。檻の蓋を開け、ネズミを出そうとして、指先を嚙まれた。ほんの少し齧《かじ》られただけなのにものすごく痛かった。しゃがみ込んで、痛みに耐えている間に、ネズミは逃げようとして自分から鍋の中に落ちた。水は鍋一杯に入っていた。ネズミは鍋の表面の腐ったキャベツにしがみつくようにして、白いマッチ棒のような足を必死で動かした。嚙まれた指からは血が出てきた。ヨシオという名前を変えることができなかったし、そもそもネズミを殺せもしなかったので、男が帰ってきたらきっとひどい目に遭うだろうと明美は思った。ひどい目に遭うという予感はイメージではない。誰かから殴られるところが映像として浮かんでくるわけではない。物理的な痛みがからだのどこかに甦《よみがえ》る。昔、理科の授業で、人間のからだには電流が流れているのだと習った。神経と神経の間にも電流が連絡役として流れているらしい。そのことはよく理解できた。我慢できない痛みを感じ続けているとき、からだを巡る電流を感じたからだ。そういう電流が、暴力の予感とともに、実際に殴られたり焼かれたりしているときと用じようにからだを襲ってくる。ネズミは鍋の中をぐるぐる回っていた。明美は部屋の壁に掛かっていた灰色のジャンパーをとり、サンダルを蹴飛ばすようにしながら履いて外に出た。

電流を感じながらモルタル造りのアパートの階段を下りた。寒さが、電流と混じり合って、からだにからみついてくるような気がした。あのきれいな女に部屋を追い出されたときには恐怖と驚きがあったためか、寒さはあまり感じなかった。足下を見る。なぜ自分はこんなに寒いのにサンダルなんか履いているんだろうと思う。こういうことは小さい頃からしょっちゅうだった。なぜこんな寒いところにずっと立っているんだろう、なぜこんな寒いのにワンピース一枚しか着ていないのだろう、なぜ耳から血が出ているのに包帯を巻いていないのだろう、喉《のど》が渇いているのになぜ水を下さいと言おうとしないのだろう、自分は脳の大部分をそういう疑問を繰り返すことに使ってきた。靴下を履いていない足は鳥肌がたって、ざらざらした紙のようだ。

ジャンパーからは貧乏な年寄りの男の匂いがした。住宅街を歩き、板橋の駅がどっちなのかわからなくなったと思いながら、その貧乏な年寄りの匂いで父親のことを思い出した。頂上に雪が積もる高い山々がすぐ背後に迫る小さな街で、父親はガス会社に勤めていた。事務職で、四十歳を過ぎてからは集金の仕事で外を回るようになった。母親は美容師で、家の近所の美容院に勤めていた。フランス美容院という名前で、店の前にはフランスの国旗が描かれた看板があった。父親も母親も明美を殴った。兄が一人、妹が一人いたが殴られたのは明美だけだった。父親が集金で外を回るようになった頃から、母親との仲が悪くなって、双方から殴られる頻度が増えた。家族五人とも、今から考えると、まるで死人みたいにおとなしかった。ヨシオというネズミを飼っていた男に似た喋り方をする兄が、明美が家を出るときに、お前は家族の中で一番強いからおとうさんもおかあさんも甘えてお前を殴るんだ、というようなことを言った。兄は覚醒剤で逮捕されて刑務所にいる。

住宅街のはずれにどぶ川とトラック会社に挟まれた小さな公園があって、数人の若い男達から誰かが殴られていた。オレンジの蛍光色のジャンパーがやがて地面に崩れ落ちて、殴られているのはあのネズミの男だとわかった。公園は、グローランプが切れかかって点滅している街灯で青白く照らされている。ネズミの男は腹と顔を両腕で隠すようにして地面にうずくまっていた。その手と腕の隙間をねらって、男の子達は、一人ずつ順番に、サッカーのコーナーキックの練習をするように、二、三歩助走をつけてから、ネズミの男の腹を蹴った。影絵のように点滅する街灯のせいで、男の子達のシルエットが微妙に震えて、きれいだった。

だと思いながら、そのまま明美は公園を通り過ぎた。

　汗くさいジャンパーのポケットに五百円玉が一枚と千円札が三枚あって、明美は飲屋街にあった深夜喫茶に入り、ココアを頼んだ。店はがらんとしていて、ココアを運んできたウェイターが話しかけてきた。

「山は好きですか？」

　明美は、別に、と答えた。

「おれも好きってわけじゃないんだけどね、雪が一面に積もった山に夕日が当たるときれいなんだよな、知ってる？」

　知ってる、と明美は言った。田舎ではそういう風景があったような気がした。きれいだと思ったことはなかったが、ウェイターが優しそうな顔をしていたのでそう言った。ウェイターは、明美が今までに会ったどんな人間より痩せていた。

「何で、お客さんにこんなことを言ってるかっていうとさ、最近ちょっとした経験があったんだ、実はおれ映画をやってるんだけど」

「映画？」

「うん、映画を作ってるの、まあ、細々とだけどね、『ぴあ』がやってるフィルムフェスティバル、知ってる？」

「『ぴあ』って？」

「情報誌であるじゃないですか、チケットとかも売ってるよ、チケットぴあ、知らない？」

「映画とか観ないんですよ、コンサートとかも行かないし」

「そうなんだ、でも、有名だよ、『ぴあ』は」

「そうでしょうね」

「その『ぴあ』の、フィルムフェスティバルとかに作品を出してるんだけど、8ミリでね、ビデオは嫌いだから、8ミリのフィルムでやってるんだ、この前おれの中古のボレックスが壊れて、ものすごく古い、友達のカメラを借りたわけさ、その友達は、高校の同級生なんだけど、偉い学者の息子なんだこれが、大学の先生でね、細菌の研究で有名な人なんだよ、登山が好きってことでも有名だったんだ、なんていったかなあ、有名な登山家と一緒にどこか、ヒマラヤとか、ああいう山にも登ったらしい、すごいよな、ヒマラヤだよ、でももう死んじやったんだけどね」

「死んだんですか」

「うん、死んだんだけどね、その、友達のおやじさんが持っていたカメラなんだよ、四十年くらい前の8ミリカメラでさ、そういうのってフィルムが回る音がいいんだよな、しゃらしゃらしゃらしゃらって、いい音で回る、おれはそれを借りたわけだよ」

ひどい格好をした子は、はあ、と言って、ものすごくゆっくりとココアを飲んだ。薫は、この女アートに興味があると踏んだけど違うみたいだな、と思った。アートをやる人間じゃなくてこんな格好をするのはどんな女なんだろう、と不思議だった。それでも、夕日を浴びた雪山のことはまだ誰にも話していないので、続けた。

「そういうカメラっていうのは初めにメンテナンスをしなくちゃいけないんだけど、やる暇がなかった、だってすぐに撮影しないと、女優がバイトでサイパンに行ってしまうっていう状況だったんだ、モデルのバイトさ、それでちゃんと写せるかどうか不安だったけどその8ミリを使った、実をいうと操作もよくわからなかったんだけどさ、でね、フィルムが入ってたんだカメラの中にね、友達が入れてくれたのかも知れないと思って、暗室なんかないしさ、そのフィルムで撮影することにしたんだ、それで、撮影をやって、現像に出して、昨日見たわけさ、びっくりしたよ、いや、おれが写したのは何も写っていなかった、真っ黒だよ、何か決定的に間違えたのね、それで、一人で映写会をやっていたらね、一瞬だよ、一瞬、夕日を受けた雪山が映ってたんだ、サブリミナル効果みたいな感じ、鳥肌がたったよ、今のはなんだったんだろうって心臓がどきっとして、あとでフィルムを見て数えたら十一コマしかないんだ。一秒で二十四コマだからね、０コンマ何秒ってところでしょう、でもわかってもらえるかなあ、それほどすごい映像をおれは見たことがなかったんだよ、その登山家で細菌学者の人が大昔に撮ったものだったわけだけど、古いフィルムだから、けっこう変色してて、こう、ソラリゼーションがかかったようになってて、オレンジ色に傾いててね、全体の色調がね、一瞬の雪山だよ、きれいだったよ、あれが映画なんだよなあ、そう思わない？」

そうですね、とひどい格好をした女が言ってうなずいた。女のジャンパーからはものすごい匂いがした。薫は、でも誰にもまだ言ってないことを喋れたからいいやと思って、女のテーブルを離れた。

Vol. 9

則子

薫は時計を見てあと十五分で仕事が終わることを確かめた。カウンターの中にいるマスターが、薫、もういいよ、客もいないし、と言ってくれた。マスターは四十代前半のおとなしい男で、コーヒーを淹《い》れるのが好きでこの仕事を始めたらしい。なぜだかわからないんだけど昔からコーヒーを淹れるのが好きだったんだ、匂いとかね。マスターは一度結婚して、今は一人だが、ホモではない。薫は田舎から出てきて、よくホモに狙われた。薫、本当に着換えていいぞ、マスターはコーヒー豆を挽《ひ》きながら柔らかい声で言う。どうせ電車ももうないし、しばらくいますよ、いてもいいですか、と薫はグラスを拭きながらカウンターの中に声をかけた。いいよ、もちろんだよ、そうか、じゃあ、トルコのコーヒー豆が入ったからそれを淹れてやるよ、誰もあまり知らないけどトルコっていうのはうまいコーヒーができるんだ、マスターはそう言って棚から新しいコーヒー豆の缶を取り出した。店はカウンターとテーブル席が四つ、壁にはコーヒーの種類が百近く書かれたメニューが貼ってある。ブラジルだと丘の上に立つキリストの像とか、キリマンジャロだと槍を持つマサイ族とか、そういった絵もメニューに描き加えてある。テーブルや椅子は、マスターの好みで木目を活かしたデザインのものが置いてあるが、上板橋の飲屋街ではそういう趣味の客はあまりいない。マスターは親の遺産でこの店を始めた。上板橋なんかではなく、代官山とか、恵比寿とかそういう場所で店をやりたかったらしいが、上板橋を離れてはいけないという遺言のためにできなかった。

トルコのコーヒーができて、どう？ と薫は感想を聞かれた。酸味が強かったが、おいしいです、と言った。何だ、あの客は？ とマスターがひどい格好の女を見て悲しい顔をした。

「すごい格好してるな」

「匂いもすごいですよ」

「おれがマイアミに行ったときの話したっけ」

マスターは二十代から三十代の半ばにかけて商社員だった。リゾート開発の技術を輸入していて、世界中のリゾート地を回ったらしい。マイアミの話は聞いていなかったので、いいえ、と薫は答えた。マイアミに限らず、マスターは海外の話をほとんどしない。そんなことはどうでもいいことだと考えているようだ。

「マイアミに行ったのは、もう十五年近く前だけど、あそこはダウンタウンとマイアミビーチとに大きく分かれているだろう？」

当然誰もが知っているもの、というような感じで、マスターは薫に聞いた。薫は知らなかったが、ええ、と曖昧に返事をした。自分が知らないことを、当然知っているものとして話されたりすると、薫は自分でも信じられないくらいイヤな気分になる。目の前が暗くなって、死にたくなってしまう。自分は生きている価値のない人間だと感じてしまう。知らないと正直に言えばよかったかな、と薫は後悔した。いつもそういう風にあとで後悔するが、遅い。世界から取り残された感じになる。

「おれはマイアミビーチの、なんていったかなあ、全室スイートルームっていう有名なホテルに泊まっていたんだ、マイアミじゃドラールが有名だが、ホテルの格としたらドラールより上なんだな、そこで毎日毎日ストーンクラブを食ってさ、ほら最近日本にも支店ができたって有名だろう、なんていったかな、あ、そうだ、ジョーズ・ストーンクラブ・レストラン、知ってるだろう？」

ドラールもストーンクラブもジョーズ・ストーンクラブ・レストランも薫はまったく知らなかった。みんな知っていることなのだろうか、と不安になった。薫はマスターを軽蔑している。アートのアの字も知らない俗物だし、コーヒーしか生きがいのない、哀れな男だと思っている。この男に映画のことなんか話せないし、話しても絶対にわかってもらえない。だが、この男は自分が知らないことを本当によく知っている。しかも、みんなが知っていて当然だという話し方をする。上板橋とか恵比寿とか代官山とかと同じような感じで、マイアミビーチについて喋る。この男の中では上板橋とマイアミビーチは同じただの地名でしかない。自分は違う。自分はマイアミビーチに行ったことがなくて、たぶん憧れていて、上板橋をダサくて貧乏人が住む町だとバカにしている。でも、マスターは、その上板橋に住んでいるが、マイアミに憧れたりしていない。

「マイアミのダウンタウンのほうは、ビジネス街だからね、和食のレストランとか寿司屋とかあるんだ、かなりある、でも、マイアミビーチのほうは日本人が少なくてさ、それは治安がずっと悪かったこともあるんだけど、まあ、日本人向けの町じゃないからね、キューバやハイチやプエルトリカンが多くてガラが悪いんだ、そこで、おれがいるときにマイアミビーチに寿司屋ができたわけだよ、板前も日本人だっていうんで、おれは仲間とさっそく出かけていってさ、おれ達以外の客は全員ネイティブだったね、板前がおれ達を見て喜ぶんだ、やっと日本人が来てくれたってね、どうしたの？　と板前に聞くと、まあ、あれを見て下さいよ、って客の一人のアメリカ人を示すわけだよ、そのアメリカ人はだね、裏巻きっていうシャリが表になる巻き方の巻き寿司を、こう、箸で崩しながら、醤油をどばどばかけて食ってるんだよ、皿に醤油がひたひたになってて、シャリもネタも海苔もぐちゃぐちゃに混ざっちゃって、もう、何がなんだかわからなくなってるわけだ、あれじゃ、巻いた意味がないでしょう、と板前が言って、おれ達は、そうだね、と同情したんだけどな、同じだよ、この店も、ココアだって、ちゃんとコロンビアのカカオを使っているんだからさ」

マスターはそういうことを話すと、またカウンターの奥に入って、豆をブレンドし始めた。ひどい格好の女は、ぼーっとしてテーブルの上を見つめ、ときどき思い出したようにココアを口に運び、もうとっくになくなっていることに気づいて、またカップを戻す。薫はそういう女を見ていると、死にたくなってきた。どうしてこういうことになったのかと思う。薫は小学生のときのＩＱのテストで１７０の数値があった。実家は九州だったが、両親とも企業弁護士で、三歳上の姉は九大の医学部に行き、弟は阪大の理学部に行った。薫は誰よりもＩＱが高かったのに、今こうやって、上板橋の場末の深夜喫茶でトルココーヒーを飲みながら、浮浪者のような女からココア代を受け取って、ありがとうございました、とお礼を言っている。両親は、お前が一番頭がいいんだから、と薫に言い続けたし、自分でもずっとそう思ってきた。九州でもっとも偏差値の高い私立高に入ってからも、薫は他の生徒全員を見下して過ごした。自分とはまったくレベルが違うと思った。両親はその私立校の傍にマンションを用意してくれて、東大の法学部に入ったら東京にマンションを買ってあげるからね、と言った。薫は、弁護士や検事はこの世に数え切れないほどいると思った。司法試験に受かるやつだって掃いて捨てるほどいる。おれはそういうやつとは違う。学校では友達は大勢いたが、そのすべてをレベルが違うという理由で軽蔑していた。四国の旧財閥系の息子と高校二年のときに知り合った。名前はコレミゾといって、コレミゾは映画監督を目指していた。イタリアの映画学校に行くのだと、既にイタリア語と英語の家庭教師についていた。薫はコレミゾをやっと現れた唯一のライバルだと考えたが、それでも絶対に自分のほうが優秀だと思った。薫は脚本を書き、それを東京の有名な映画プロデューサーに送った。主に海外の映画人と仕事をしているプロデューサーで賞もたくさん取っていて、薫は、こいつだけは自分と同じレベルの人間だと小さいときから思っていた。自分としては精いっぱい謙虚に書いた文面の手紙もつけた。わたしはあなたを尊敬しています、わたしはあなたと同じようにこの世の中で選ばれて生まれてきた人間だと思っています、実はぼくはIQが170もあるんです、一種の天才の数値ですよね、ですからまわりの友達がみんな物足りないのです、みんながバカに見えます、あなたはこういうぼくの悩みをわかって下さると思います。手紙は無視された。何度書いても、返事は来なかった。文化人年鑑のようなもので住所を調べて、薫は夏休みにプロデューサーに会いに行った。プロデューサーは東京の世田谷区の川の傍のマンションに独りで住んでいた。手紙を書いたものですけど、と言って挨拶すると、なんか勘違いしてるんじゃないか、と怒鳴られた。お前はあれだな、しつこく手紙を出してＩＱがどうのこうのっていうアホか、いいか、パリに本部がある二百クラブっていうのがあるんだ、これはＩＱが２００以上の人間が集まってるクラブだよ、日本人の会員もたくさんいる、たいていが株屋だよ、証券業者だ、ＩＱなんてそんなもんだ、お前は図々しいやつだな、最低だ、田舎ものだからしょうがねえか。言われたことを薫は今でも全部覚えている。プロデューサーは、宮殿のような家に住んでいると思っていたが、普通のマンションからランニングシャツを着て汗だくで出てきて、変なデザインのショートパンツをはいていた。薫は、そのマンションを追われ、多摩川沿いに歩きながら、あいつは偽物だったんだ、と思った。あいつも結局はおれのレベルではなかった、作品は悪くないが、よく考えると監督ではないから、クリエーターではなくて、金集めをしているだけなんだ。薫はその夜、赤坂の高層ホテルに泊まった。カフェで夕食を摂っていると、紺色のダブルのスーツを着た男に声をかけられた。君は学生か、とその四十代後半だと思われる男は言った。薫はホモの男を間近に見たことがなかったが、直感でその男はホモではないと思った。男は、変な話で気を悪くしないで欲しいんだが、と断って、テーブルの向かいに坐り込んで話し始めた。実は今家内がこのホテルのある部屋で君みたいな若い男を待っているんだ、その男はぼくもよく知っている男で、実はぼくとは遠い親戚筋になる、興信所にビデオを部屋に取り付けてもらって家内と男が何をしているか既に何度も見たんだけど、それはちょっとここでは言えない、いや、変わったことではあったが性的なことじゃなかった、それで君に頼みがあるんだ、承知してくれたら失礼かも知れないが五十万くらいなら払えるよ。男はそう言って、薫は気味が悪くなり、結局その申し出を断った。その男は、しばらくカフェの中を歩き回り、薫のような若い男を物色していたが、やがてあきらめ、次にロビーのソファに坐って、通り過ぎる人々を眺めていた。次の日、羽田で飛行機を待つ間に、テレビのワイドショーで、赤坂の、薫が泊まったのと同じホテルで人妻が腹を切り裂かれて死んでいたというニュースをやっていた。あの紺色のダブルのスーツを着た男を思い出したが、そのときは別になんでもなかった。九州に帰ってからしばらくして、薫は食事が喉を通らなくなった。何も食べられなくなったのだ。空腹は感じるのに、何かを口から喉に入れると、全部吐いてしまう。自分でも心配になって、医者に行くと、拒食症だと診断された。薫はコレミゾだけに打ち明けた。基本的に男の拒食症は非常に少ない、とコレミゾは言った。東京で何があったのか全部話してみろと言われ、話した。コレミゾに話すときに、プロデューサーと紺色のダブルのスーツを着た男のことが鮮明な記憶で甦った。彼らとのやりとりのすべてを克明に覚えていた。まるで記憶が生命を持って自立しているように、内臓からの分泌物の一つになってしまったように、ことさら思い出そうとしなくても腹や胸から嘔吐物のようにこみ上げてきて脳で弾けるのだった。驚異的な博識をもつコレミゾだったが、わからない、と言って、そのうち薫から距離を置くようになった。薫はそのとき以来、固形物を食べることができなくなった。喉を通るのはカロリーメイトの飲料だけで、急激に痩せ始めた。両親はひどく心配したが、薫はそのことが、つまり両親が心配するということが耐えられなくて、コレミゾにも誰にも言わずに東京に出た。東京に出てきた当初は、渋谷や新宿のライブハウスで出会うような仲間と一緒にいた。売れない役者やヌードモデルやSMクラブの女王やロックミュージシャンなどである。居心地は悪くなかったが、すぐに飽きた。みんなクズだと思った。だがIQのことは誰にも言わなくなった。渋谷や新宿にいるときは、九州と同じでまったく固形物が食べられなかった。この深夜喫茶には、最初客として来た。近くで、仲間のコンサートがあり、明け方近くコーヒーを飲みに寄ったのだった。みんながコンサートの興奮を語り合っているうちに夜が明けた。そして、薫はそれを見たのだった。どこからの光だったのか、そのときはわからなかった。漆喰《しっくい》の白い壁に、A4ほどの大きさの像が映っていた。それは、表の飲屋街のキャバレーのネオン管に反射した早朝の光が、カーテンと観葉植物を透して、長方形の小さな窓から差し込んでいたのだった。細かく揺れる小さなフレームの中で、レースのカーテンとオーバーラップしたベンジャミンという植物の影が動いていた。薫は息を呑んでその映像を見つめた。仲間の話し声も耳に入ってこなかった。しかし、その映像は一瞬で消えた。映画が終わるときと同じように、漆喰の壁には何も残らなかった。薫は、それ以来同じ時間に何度か店に来てみたが、光の入射角度が微妙で、天候にも左右されるために、その映像は二度と見ることができなかった。頼み込んで、店でアルバイトをすることにした。それから八ケ月経つが、まだ、あの映像を見ていない。渋谷や新宿の仲間から離れて、映像を見るためにこの店で働き始めてから、麵《めん》類やお粥《かゆ》やおじやだったら飲み込めるようになった。

新しい客が店に入ってきた。普通の格好をした中年の女だ。水商売でもないし、さっきの若い女みたいに汚れたブータローでもない。女はモカのストレートを頼み、バッグから文庫本を出して読み始めた。コーヒーを運んでいって、薫は、この女だったら漆喰の壁にできる映像の話をできるかも知れない、と思った。

「本がお好きなんですか？」

コーヒーをテーブルに置いて薫は聞いた。

「え？　まあ、時間つぶしよ」

女はそう答えた。髪は短くて、襟足のあたりもきれいにそろえてある。脱いだコートを隣の椅子にかけているが、上品な茶系の色のコートで素材はカシミアのようだ。クリーム色のセーターと、濃い朱のスカート、文庫本のページをめくる手の指がきれいだなと薫は思った。

「ちょっと変な話をしていいですか？」

「変な話？」

「ほら、あそこの漆喰の壁にね、冬の、だからもうすぐなんですけど、冬至近くにね、信じられないくらいきれいな映像が映るんですよ」

「どういうこと？」

「光が低いんです、冬の日差しは低いでしょう？　だから、あの窓を透して、あのベンジャミンの葉っぱの揺れが、影絵みたいに映るんです」

則子は、この若いウェイターはどうしてこれほど痩せているのだろう、と思った。人間はこれほど痩せることができるものだろうか。話しかけられたくなかったが、異様な感じがしたので、無視するのはやめた。適当な笑顔を作り、適当にうなずいていると、ウェイターはカウンターのほうへ戻っていった。

Vol. 10

ユウコ

則子はコーヒーを一口飲んでから、時計を見た。深夜の二時を少し回ったところで、文字盤のカバーのガラスが曇っていた。外は冷たくて、この店の中は暖かいから、ガラスが曇ったのだろうと思った。ハンドバッグからティッシュペーパーを出して、則子はガラスのカバーを拭き始めた。ガラスの外側が曇っていると思って拭いてみたのだが、乾いたティッシュで何度拭っても、白い濁りが取れない。コーヒーと一緒に運ばれてきた水をほんの少しティッシュに含ませて、もう一度拭いてみた。ダメだ、と則子は思った。こういうことをやっていると、またあれが始まってしまうかも知れない。こういう細かい作業はよくない。現に今だって、わたしは腕時計の細かい文字盤を見ることに引きつけられようとしている。腕時計のブランドは、オメガだった。もう十年以上前、あの男と一緒に行ったグアムの免税店で買った。サイパンだったかな、正確にはどちらだったのかは忘れた。あの男のことは、自分では思い出したくないようでもあるし、そうではないような気もする。

「お客さん、どうかしましたか」

そう言われて、顔を上げると、あの極端に痩せたウェイターが目の前に立っていた。

「時計、壊れたり、してます？」

ウェイターが何を言っているのかすぐにはわからなかった。いけない、気をつけなきゃ、と則子は思った。時計を見ているうちに、あっちに入り込んでしまったのかも知れない。大丈夫です、壊れたわけではないみたい、と則子はウェイターに言った。

「何かガラスが曇ってしまって、それを拭いていたの」

「あ、そうですか、ぼく、少し機械に強いもんで、おせっかいでしたね、すみません」

そう言ってウェイターはまたカウンターのほうに戻ろうとした。何か話したほうがいいかも知れないと思って、則子は話しかける材料を探した。ウェイターの後ろ姿を見ているうちに、グアムかサイパンに一緒に行ったあの男のことを思い出してしまい、話題を探すことができなくなった。苦痛が襲ってきた。制御できない苦痛だ。参ったな、と則子は思った。そういうことから逃れるために部屋を出てわざわざこの喫茶店に来たのだが。ウェイターはもう声をかけるのが不自然な距離に遠ざかってしまった。

部屋でも、苦痛が襲ってきそうになった。則子は今三十二歳で、大手町にある銀行に勤めている。短大を卒業してからすぐに勤め始めた。もう十年以上も勤めていて、何度か入院して長期の休暇を取ったりしたが、英語が得意だったために、海外の為替を扱う、かなり責任のあるポジションにいる。四年制の大学を出た同じ歳の女性社員よりも、肩書きとしては上らしい。だが、そういうことは次第にどうでもいいことになりつつある。

部屋で苦痛が襲ってくるようになったのは何時頃だっただろうか。夕食を食べてまもなくだったような記憶がある。今夜夕食は何を食べたか、忘れかけているのに則子は気づいた。会社の帰りにどこかで簡単にすませたような覚えもある。ちょっとしたカジュアルなイタリアンとか、おしゃれだと評判のカウンターだけの和食屋で、一人でビールを飲み、何か高級でおいしいものを少しずつ食べたような覚えがあるがそれが正確にいつのことなのかはわからない。一人でビールを飲み、小皿で出てくるちょっとした料理を食べていても、まわりの人に寂しく映らないようにと練習した時期があった。いつ頃だっただろうか、あの男と別れた直後か、別れる直前だったと思う。あの男のことはどうでもいいことの典型のような気がする。きっとそれは正しいと思う。セラピストが言った通り、あの男はわたしの父親の代わりだったのだ、と則子は思っている。代わりという言い方は正確ではない。セラピストはもっと違うニュアンスの表現をしたが、もう忘れた。

どこで夕食を食べたか、こうやって考えているとますます記憶が曖昧になってくる。ホテルのバーで、比較的おいしいハウスワインとチーズですませたのかも知れない。二、三年前からホテルのバーに一人で行くようになった。西新宿に一つ、赤坂に一つ、銀座に一つ、それぞれなじみのバーがある。とにかく女一人で、寂しい女に見られることもなく、軽く食事ができる場所が東京にはない。田舎にはもちろんない。則子はどこで夕食を摂ったのか思い出すのを諦めた。

苦痛が襲ってきそうで、外出することに決め、化粧を始めたのだった。着換えもした。化粧と着換えのどちらが最初だったかもう忘れている。化粧も着換えも、則子にとっては大切な儀式だった。どちらもゆっくり行うことにしている。考えられる限り、最大限の時間と労力を使う。去年、家庭用のサンタン・マシンを買った。家で日焼けができれば、化粧や着換えよりも時間を上手にしかも充実してつぶせると考えたのだ。本当はサウナが欲しかったが、ちゃんとしたものは大きくて非常に場所をとるし、そうでないものはたいていスーツ式で、優雅な時間つぶしはできそうになかった。

とにかくわたしは化粧と着換えをすませたのだ、と則子は思った。そうでなければこうやって会社に行くときのスーツを着てきちんとメークをしているわけがない。電話がかかってきた。電話がかかってくるたびに、わたしには友人がいないわけではないという思いと、これでまたどうでもいい話をしなければいけなくなったという思いが同時に起こる。そのときそのうちのどっちを思ったのか忘れたが、電話は間違いなくかかってきた。高校時代の友人からだった。名前は良子か、夏美。そのどちらかだったと思う。高校時代の友人で、夜に電話がかかってくるのはその二人しかいない。その二人とは別にそれほど親しかったわけではない。その二人と高校時代に何かを話した思い出はほとんどないし、顔も憶えていない。良子は背が高くて、夏美は性的に早熟だったような気がするがはっきりしない。

「最近、どう？」

そういう風に良子か夏美は話し始めた。則子は化粧か着換えの途中だった。

「絶好調」

則子はそう答えた。別に見栄を張ったわけではなくて、そのときはそういう気がしたのだ。でも、絶好調、という言い方は何か不自然だな、と思った。本当は寂しかったり、苦痛だったりするのに、無理に幸せぶっているような印象を良子か夏美に与えたのではないかとすぐに反省した。でも、絶好調、という言葉が無意識のうちに出てきたのだった。変な言葉だな、と思った。そんな言葉が自分の脳のハードディスクの中にあるとは思わなかった。どうしてそんな言葉を、と考えると、苦痛が襲ってきそうになって恐くなり、考えるのを止めた。

「いいなあ、ノリコは」

と良子か夏美は言った。本当にうらやましがっているようだった。この女からうらやましがられてもしょうがないと則子は思ったが、それでも少しだけ気持ちよくて、良子か夏美に対して、急に好感を持ち、優しく接してあげようと思った。

「わたしは最低よ、この前の話、憶えてる？」

何も憶えていなかったが、もちろんよ、と則子は言った。

「もちろんよ、その後どうなったの？」

「それがね、あ、今、いいの？　時間、忙しいとか、人が来てるとか、大丈夫？」

大丈夫よ、と則子は言った。

「ちょっと出かけなきゃいけない用事があるんだけど、今なら大丈夫」

「これから外出するの？　大変ね、お仕事？　そんなわけないわよね、デートなんでしょ、悪いわね、あ、でも、いいなあ、わたしこういうこと話すのイヤになっちゃった、なんだかバカみたいなんだもん、ノリコはいいわねえ、昔からしっかりしてたものね、頭も良かったし、わたしの彼氏が就職したって話はしたでしょう？　ゲーム会社なんだけど、これがけっこうサラリーもいいのよ、それで、彼氏はわたしより年下でしょう？　わたしのアパートに学生の頃なんか居候していたようなこともあったのね、同棲っていうの？　で、あれからもう三年くらいになるんだけど、もう一度一緒に住もうって言ってもいやだって言うのよ、何ていうの、おれにはおれの生活があるみたいな感じなんだけどね」

少し温《ぬる》くなったコーヒーを飲みながら、電話の相手の名前は曖昧なのに、どうして電話での会話をこんなにはっきりと憶えているのだろうと則子は思った。こういうのもみんなわたしのあれのせいなのだろうか。あれが始まったのは、小学生の低学年の頃だった。あれは、本当にごく自然に則子に訪れた。則子が生まれたのは、長野の、冬になると氷が張る湖のある、きれいで小さな町だった。父親はその町の電機店に勤めていて、母親も郵便局で事務の仕事をしていた。ほとんど喋らない兄が一人いた。祖父母は高原野菜を作っていて、夏の夕方縁側に坐っているとレタスやキャベツの匂いがしてきて、則子はそれが好きだった。父親はおとなしい人で、母親はときどきヒステリーを起こした。

「どうも、女がいるっていう感じがするのね、いつか、おやじが行くような銀座のクラブのマッチを持ってて、これ何？　って聞いたら、ものすごく怒るのよ、それって変だと思わない？　ホステスの話とかになって、わたしが何か言うと、ホステスだって立派な職業だとか何とか言って、あれ、絶対におかしいと思うんだ」

あれは別に最初は大したものではなかった。縁側に坐っていると、その声が聞こえた。いらっしゃい、声はそう言った。まわりを見渡したが、誰もいなくて、則子は、びっくりするというより、誰もいないのにこうやって声とかが聞こえてくるのは楽しいことなのかも知れないと思った。いらっしゃい、というその声は、いつも祖母と買い物に行く商店街の呼び込みの声に似ていた。それで、実際に買い物に行ったときに、同じかどうかあちこちの店を確かめてみたが、それと同じ声はどこからも聞こえてこなかった。

その声を聞くのが楽しみになって、縁側に坐って、返事とかをしていると、両親に病院に連れて行かれた。原因は分からないし、子どもの頃にはよくあることで大きくなると治るから別に心配はない、医者はそう言ったそうだ。だが治らなかった。都内の短大に行くようになって、セラピーに何回か通った。子どもの頃のことを何度も聞かれた。則子は初めて、他人に、うんと小さい頃酒に酔った父親から性器のまわりを触られたことがあることを話した。また、母親が父親のことを悪く言うのをしょっちゅう聞いて育ったことも話した。性的な虐待ではないと思う、とセラピストは言った。そんなことはどうでもいいと則子は思った。ただ、セラピストに話すときに涙が止まらなくて、そのことが自分でひどく気持ち悪かった。

「何か、具体的なイヤなことがあってそういう幻聴の中に逃げ込む、それは一般的ですが、そういうわかりやすい例だけではないんです」

セラピストはそういう意味のことを言った。

「具体的な症状を詳しく話してもらえますか？」

則子は話した。

小さい頃はその声を聞くのがとても好きでした、いらっしゃい、から始まって、その世界がわたしの前に始まるんです、現実よりもっときれいで、何か強い匂いがして、何かが見えてくる感じがしました、見えるのは何かグニャグニャしたものです、動物の内臓とか、貝の外套膜《がいとうまく》とかそういうもので、決して全体は見えません、必ず入り口だけです、どこまで行ってもずっと入り口だけなんです、小学生の頃は小さな世界しか知らないから、そのグニャグニャした入り口から見えるものも限られていましたが、高校の頃になると、もっと、何ていうか、セックスのことが出てきて、その中でわたしは必ず、何か景品のようなものになっているんです、それが誰なのかわからないけど、わたしや、わたしの家族よりもはるかによい生活をしている人々がいて、わたしは彼らの間でやりとりされるプレゼントの一つなのです、もちろんそんなことを誰かがわたしにその入り口だけの世界で、はっきりと言葉にして言うわけではありません、声や会話は常に曖昧に、何かをほのめかすように聞こえてくるんです、そうですね、暗示みたいというか、なあ、わかるだろう？　そういうことなんだよ、みたいな感じです、テレビとかが点《つ》いていると、その番組で言っていることも全部そういう暗示に聞こえてきてしまうから、テレビは見ません、ラジオも同じ理由で聴かないし、歌詞のある音楽も聴かなくなりました、でも、まわりのそういうテレビやラジオの音声が全部、そういう、小さい頃に縁側で初めて経験した入り口だけの世界になるかといえばそうではないんです、そういう入り口だけの世界への橋渡しっていうか、入り口の入り口になるっていうかそういう感じなんです、そしてそれが恐いかというとそれも違うんです、小さい頃は気づかなかったのですが、わたしには、理由のない、そうですね、理由が考えられない、苦痛があって、入り口だけの世界はその苦痛からは逆に自由になれるんです、苦痛は苦痛です、それ以外には説明できません、息ができないくらい胸やおなかのあたりが苦しくなるんです、オナニーはします、苦痛から逃れるためにオナニーをしすぎて性器から出血したことが何度もあります。

「好きな男の人ができれば、ずいぶん良くなると思いますよ」

セラピストはそういうことも言った。則子は好きな男の人を探したが、なかなか見つからなかった。そのうち、入り口の世界があの男を用意してくれた。あの男は、気持ちのいいコロンの香りとともに現れて、則子を旅行に誘った。ホテルにチェックインするときなどに、あの男は実際に目に見えるように感じられるようになって、則子は三ケ月ほど入院した。今、手にしている文庫本はあの男が勧めてくれたものだ。苦痛の正体は今もまだわからない。病院に入っているとき、同じ病棟に不思議な女の子がいた。彼女は、電話やビデオのコードを流れる電気信号が聞こえ、見えるのだということだった。確か、ユウコという名前だった。病院の中庭で何度か話したことがある。その子は、則子の苦痛について理解してくれていたような気がする。苦痛は苦痛だ、とその子も言った。

「みんな、わたしが、ひどい経験をしたものだから、その思い出から逃れようとして電気のコードの中が見えるとか、ケーブルを流れる電気信号が音として聞こえるとか嘘を言っていると思っているんだけど、見えるんだからしょうがない、たいてい見えるのは汚いものばかりで、でもそれがわたしの苦痛なわけじゃない、あなたの言う苦痛もそういうものだと思う、苦痛は独立しているでしょう、わたしのからだや神経のどこかが苦しく痛くなるわけではないのよね、苦痛は独立していてわたしとは別のもので、やってくる、どこからかはわからないけど、やってくる、あなたもそうじゃないの？」

「則子だけど」

則子は電話をしたくなった。深夜の二時半に電話できる相手は一人しかいなかった。

店の電話を借りた。相手はまだ起きていた。則子は今夜はずいぶん遅くまで起きているんだね、とその女は言った。

「ねえ、今何をしてるの？」

則子はそう聞いた。

「セックス」

ユウコはそう答えた。

Vol. 11

幸司

「セックスしてるんだ、じゃあ悪いから切るね」

そう言って、電話は切られた。誰なんだよ、とからだの上に乗って腰を動かしている男がユウコに聞いた。よくわからないとユウコは答える。名前は、確か則子だったって憶えてるんだけど、顔とかわからないし、それが誰なのかもわからないの。お前は変わってるんだなあ、とセックスを続けながら、男は言った。部屋は真っ暗だし、ろうそくなんか、本当に危ないぞ、火事になるぞ。火事になったっていいんだよ、そう言ってユウコは笑った。私は罪にならないの、さっき話したでしょう、私はずっと精神病院にいて、何を起こしても責任を問われることがないという重度の精神障害者なんだから。それはもう聞いたよ、それよりセックスの途中で笑ったりするなよ、そういうことされると男は白けるんだよ、それでそんな人がどうして病院にいなくて町を歩いたりモスでテリヤキバーガーを買ったりできるわけよ？　男は、そう言って一度ユウコのからだから下りた。

「どうしたの、止めるの？」

セックスなんかどうでもよかったが、男性器が急にからだから出ていく感じがユウコは嫌いだった。急に入ってくるより、急に抜かれるほうがいやだった。部屋の中に暖房がなくて寒いからこの男はセックスを止めたのだろうとユウコは思った。この男とは十時間前に、駅前のモスバーガーで知り合った。ユウコはテリヤキバーガーをテイクアウトで買い、男は店の中で、フレンチフライを食べオレンジジュースを飲んでいた。出来上がりをユウコが待っている間、何度か目が合って、店を出ると、あとを追ってきた。ちょっと話がある、と男は言った。髪を金色に染めていて、唇にピアスをしていた。このあたりでは、どこにでもいそうなタイプの男だなと思ったが、部屋に連れ込んだ。寂しかったとかそういうことではなかった。ユウコは、寂しいという概念がわからない。くだらない話をえんえんとしたあとで、セックスを始めた。

部屋に電気がないので男は最初びっくりしていた。電気コタツのケーブルからの音がいやだからだ、とキスをしながらユウコは説明した。自分には、ケーブルを流れる電気の信号が見えたり聞こえたりするのだと言った。電気コタツのケーブルからどんな音楽が聞こえるんだよ、と男は言った。ビートルズか？　そう言って笑ったが、ユウコはビートルズが何なのか知らなかった。ユウコはワグナー以外ほとんど音楽を聴かない。

　十二年前、七歳のとき、その症状はよりはっきりと現れた。それが、症状、という言葉で呼ばれることがユウコには納得できないが、病院の人をはじめみんながそう言う。別に今はどうでもよくなった。

　最初、おじさんがビデオデッキを買ってきた。横浜の、高台にある家で、おじさんは塾を経営していた。血のつながったおじさんではなかった。ユウコはゼロ歳のときに、両親と離れた。両親は非常に若く、母親は十五歳で、二人は結婚していなかった。養育能力がないという理由で、ユウコは施設に引き取られ、二歳になったときに、おじさん、にもらわれた。おじさんは、パパとかおとうさんと呼ばずにおじさんと呼ぶようにとユウコに言った。四歳のときに、なぜおじさんでおとうさんではないのかがわかった。おじさんはユウコのからだを触るようになった。それが何を意味するのか、ユウコにはわからなかった。絶対に他の人に喋ったらダメだよ、と言いながら、おじさんはユウコのからだを毎晩触った。からだのあらゆるところを触られた。おじさんのからだにも触るように言われた。ユウコは言われた通りにおじさんのからだのいろいろな場所に触った。おじさんは決して勃起しなかった。

ユウコは今、病院とこの部屋を往復して暮らしている。おじさんとは今でもたまに会って食事をしたり、絵や写真の展覧会や個展を見に行くことがある。展覧会や個展の会場は静かで、ユウコが気に入っている数少ない場所の一つだ。本当にごくたまにだが、ユウコを作った二人にも、会うことがある。二人は別々に結婚したが、ユウコと会うときは一緒に訪ねてきて、三人でホテルのレストランのようなところで食事をする。そういうときは、世間話をするが、ユウコはテレビも見ないし、ラジオも聴かないので、話題がなくて、三人とも黙っている時間が長い。そういうとき、この二人が絵が好きならいいのにな、とユウコは思う。絵は、おとなしい。きれいな絵が発する信号は、とてもおとなしくて、心が安定する。

おじさんがビデオデッキを買ってきた日に、その症状がはっきりした。おじさんは、ユウコにはモニターが見えない角度で、「ミクロの決死圏」という映画を観ていた。止めて、とユウコは言った。人間のからだの中を描いた映像が気持ち悪かったのだ。おじさんは、ユウコが坐って積み木をしていた位置から、鏡か何かでビデオのモニターが見えるかどうか何度も確認した。絶対にモニターが見えないことがわかると、おじさんはびっくりして、ユウコをテストした。テストは、成功するときと失敗するときがあって、それがどういう原因によるものかはわからなかった。ビデオテープが回り始めて、先端に黄色のピンジャックがついた映像ケーブルを流れる信号が、ユウコの脳にはっきりと画像を結ぶ場合と、画像が乱れる場合があって、そこに規則性や関連性のようなものはなかった。例えば「となりのトトロ」はよく見えたが、「E.T.」は、脳の中で映像がバラバラになった。おじさんは、ユウコが音についても同じ症状を示すことにすぐに気づいた。電話の内容が、ユウコにはわかった。スピーカーをオフにしたカセットデッキから流れる音をユウコは聞くことができた。だが、音楽として聴くことはできなかった。音は脳の中で音楽として統合されなかった。元高校の数学教師で、早い時期からコンピュータを扱っていたおじさんは、映像の場合は電気信号を解凍するソフトがユウコのからだのどこかにあって、音の場合にはそれがないのだろうと判断した。ユウコが受信できるのは、平均的な距離にして約十メートル以内の、ケーブルの中を流れる電気信号に限られていた。十メートルより遠い位置のケーブルや、空中を飛ぶ電波は、受信できなかった。

「お前はきっと精神病院というところに入ることになるだろう」

おじさんは悲しそうな顔でユウコにそう言った。普通だったら聞こえるはずのない音が聞こえ、見えるはずのない映像が見える。それに、それはほとんどの場合、音楽や会話や映画やアニメとしての整合性がなく、ただの不快な雑音や壊れたテレビのように乱れていて、それはユウコにわけのわからない苦痛を与え、ときには叫び声を上げさせ、ひどいときには意識を失わせることもあった。誰もお前のことを理解してくれないだろう、とおじさんは言った。お前は単に頭のおかしい子だと思われてしまうだろう、嘘つきだと言う人もいるかも知れない、だから、精神病院がお前の主な居場所になると思う、私にはなにもアドバイスはできない、でも、例えばだが、詩を書いたり、絵を描いたりするのはいい方法かも知れないな、おじさんはそういうことを言った。

ユウコは少女時代のほとんどを有名な私立の精神病院で過ごした。おじさんは裕福だった。おじさんは病院の医師とよく相談し、学校ではいじめられたり、孤独になってしまうと判断したのだった。だからユウコは精神病院で基礎的な教育を受けた。おじさんは、自分の塾の中でももっとも優秀な先生をユウコのために病院に派遣した。

病院ではユウコの症状を巡ってさまざまな実験が行われた。症状、ではなく、能力と呼ぶ医師もいたが、もちろんユウコにはどちらでも同じだった。電話線やビデオの音声ケーブルがあれば、ごく原始的にだが、発信もできることがわかった。それは医師たちの実験によって開発された。ユウコは脳に発生した信号を、ケーブルへと、吐き出す。その信号を、言葉にして発信してしまうと非常に弱くなってしまう。嫌悪や拒否の感情を、ケーブルを強く意識して、吐き出すと、ケーブルの中に微弱な電気が流れるのが確認された。だが、ユウコは、吐き出す、のがあまり好きではなかった。

成長しても、基本的にユウコの症状には変わりはなかった。見えるときと、見えないときがあり、聞こえる場合とそうでない場合があって、どの場合にも、関連性や規則性はまったく見いだせなかった。医師たちが、例外的に指摘したのは、ある種の女性の声とある種の楽器、それに水に関わる映像だった。電話線やスピーカーケーブルやビデオの音声ケーブルの中の、ある種の女性の声とある種の楽器の音を、ユウコは特別に明確に聞くことができた。三、四人のソプラノやアルトのクラシックの女性声楽家、何人かの女性アナウンサーと女優、そしてバイオリンとリードを使う管楽器。医師たちは音響学の専門家と協力して一時期それらの音と声に共通なものがないかを調べたが、結論は出なかった。水の映像は、他のものに比べると明確に像を刻むことが多かった。水の波紋、映画の川の傍のシーン、雨に濡れている町の映像、そして滝のビデオなど。

「だからさ、お前そんな変な人なのに、どうしてこうやっていいマンションに住んでるわけ？　ここ、すごい高いだろう？　家賃とか、管理費だって半端じゃないんじゃない？」

男は、フェラチオをさせようと性器をユウコの口に近づけ唇に触れさせながら、そういうことを聞いた。非常に理解のある精神病院で、実家が金持ちだから、とユウコは答えた。フェラチオは好きではなかったが、ユウコは男の性器を口に含んだ。男が喜ぶのだったら、そういうことをしてもいい、とユウコは思っている。おじさんもそうだったし、性的なこと以外では、誰かが自分のために喜ぶのをユウコは経験したことがなかった。

「例えばさ、コタツとかの線でも、何か見えるのかよ？」

それは音や映像を電気的な信号に変えたものではないのでうなりとか耳鳴りに近いような意味のない音だし、強い光を見たあとの汚い残像のような、映像とも言えないものなので、ただ不快なだけなのだ、と男の性器から口を離して、ユウコは答えた。

「嘘だろう？　お前が言ってることはみんな嘘なんだろう？」

ユウコの口の中で射精してから、男はそう言った。ユウコは男の精液を飲み、口の中がネバネバして喋りにくいと思いながら、あなたが嘘だと思うのなら別にそれでもかまわないという意味のことを言った。

「おれが今から友達に電話するから、その内容を当てて見るか？」

ユウコの部屋には有線の電話はなかった。それに携帯電話の電波が聞こえることはない。男は二本のろうそくだけが灯《とも》った暗い部屋で、まず急いで服を着た。そして、クローゼットの引き出しを開けようとしたり、壁際の飾り棚を開こうとしたり、そういうことを始めた。それらには鍵がかかっていた。そういうことをしないほうがいい、とユウコは言った。この下の階には、わたしをガードするために、わたしの友人が住んでいて、彼の部屋へは一本のケーブルが通じている、簡単な信号だったら、わたしは送信することもできる、何かあると、わたしは、ノーという信号を彼に送ることになっている、彼はこの部屋にろうそくの灯りが見える間、起きていてわたしをガードしている、あなたが何かを盗もうとしたり、わたしを傷つけようとすると、彼がやってくる、彼はあなたを罰すると思う、ユウコはそう説明した。それは事実だった。おじさんが、その男を雇っているのだ。だが、男は信用しなかった。男がクローゼットの引き出しの鍵を壊すものが何かないか探し始めたので、ユウコは、壁から天井に這《は》わせてある特別な仕様のスピーカーケーブルをイメージして、不快と恐怖の信号を送った。彼はすぐに現れるはずだった。

ユウコが下着をはいていると、男が、鍵をよこせよ、と近寄ってきた。こういうときに要求を拒むと危険だと経験で知っていたので、ユウコはブラジャーをつけながら二十八へーベイの広さのリビングを横切り、本棚の上の、絵の道具がおいてあるところから、鍵の束を取り、男に手渡した。鍵の種類は、それぞれの部屋や自転車や家具用のものを全部含めると、三十以上あった。男は、ろうそくを持って、蠟を手の甲にこぼしたりしながら、じゃらじゃらと音を立てて、引き出しに合う鍵を探し始めた。ユウコは、こういうときに必ず思い出す言葉を思い出しながら、ガードの男が現れるのを待つことにした。精神病院で行われる質問紙を使う心理テストの問題。何十回と被験したその問題をユウコはほとんど暗記していた。問題はイエス、ノーで答えなければならない。

幽霊を見たことがある。からだがときどき自分の思う通りに動かなくなるときがある。かなり頻繁に息切れして困る。わたしには悪いとされる癖がいくつかある。短歌や俳句が好きだったことがある。自分の顔が美しいかどうか気にかけない。聖書を読むのが好きだ。自分の性格がもっと積極的だったら人生は変わっていたと思う。汚物に対する嫌悪感が強い。テレビに出てみたい。わたしの行動はよく人に誤解される。我慢強いほうだ。血の混じった小便が出たことがある。約束の時間を守らない人は信用できない。できるものなら建築士になってみたい。花の香りを嗅《か》ぐのが好きだ。ひどく嫌いな種類の動物がいる。いろいろな人と友人になりたい。気が狂うのではないかといつも心配している。電線に止まった小鳥を鉄砲で撃ってみたいと思ったことがこれまでに少なくとも三回以上ある。

部屋にもう一人男が現れ、引き出しの鍵を探していた男にそっと近づいて、小さなスプレーを顔にかけた。ろうそくを持って引き出しを開けようとしていた男は床に倒れた。スプレーを持って現れた男は幸司という名前だった。ユウコはその男のことを、コウちゃん、と呼んでいた。幸司はまず床に落ちたろうそくを拾ってから、倒れた男の腹を一度蹴った。ユウコは目をつぶった。こういうとき幸司は残酷になった。ユウコはそれを見たくなかった。ユウコはまだ心理テストの問題を呟き続けている。

テレビによく出ているような人と知り合いたい。非常に不思議なことを数多く体験した。人一倍健康であると思う。喉に違和感を覚えることがある。猥談が好きだ。お酒を飲んでもなかなか酔わない。花に水をやるのが好きだ。明るい人と一緒にいると疲れることが多い。橋の上から下を見るのが恐い。生まれ変わりたい。日記をつけたが、長く続かなかった。霊魂がからだから出ていくような感じがするときがある。必ず負けるとわかっているゲームはしない。カメラで撮られるのが好きだ。ビールがおいしいときわたしは元気だ。仏像があったら必ず拝む。冷たい家庭で育った。体臭がある。手紙を書くのが嫌いである。

やがてユウコはいつものように、決して回答できなかった問題を繰り返し呟く。母親は貧乏だが正直な人だった。母親は貧乏だが正直な人だった。母親は貧乏だが正直な人だった。母親は貧乏だが正直な人だった。母親は貧乏だが正直な人だった。母親は貧乏だが正直な人だった。母親は貧乏だが正直な人だった。母親は貧乏だが正直な人だった。母親は貧乏だが正直な人だった。

「おい、ユウコ、大丈夫だったか？」

幸司が声をかけた。うん、とユウコは答える。

「おれはこいつを捨ててくる、おれが帰ってくるまで、誰も部屋に入れるなよ」

わかった、とユウコは言った。幸司は肩を貸すようにして、床に倒れている男を軽々と抱え上げた。

「いつも言ってることだけど、ろうそくは、注意しろよ、火事にだよ」

そう言って、幸司はユウコの部屋を出ていった。

Vol. 12

フミ

幸司は廊下を歩き、エレベーターに乗り、外に出た。目の前に、宅地造成中という大きな看板がある。ユウコのマンションは川崎市と世田谷区のちょうど境目あたり、小さな雑木林を切り開いた造成中の区画にただ一つぽつんと建っていた。まわりには灯りがない。肩で支えた男の髪からは、パイナップルに似た酸っぱい匂いがしていた。今までにそんな匂いを嗅いだことのない、安っぽいコロンだった。どうしてこんな男をあの女は部屋に連れ込むのだろうといつものことながら幸司は思った。こういうことはほとんど日常的に起こる。あの女はありとあらゆる人間を部屋に引きずり込む。肩にぶら下がった格好になっている男は、幸司よりふたまわりほどもからだが小さかった。

夜明けが近いのか、どこからか川風が吹いてきた。多摩川からの風だと幸司は思った。男を担いでいるせいで、寒さはあまり感じない。それでなくても幸司は寒さや暑さ、それに痛みなどを感じることが少なかった。神経が鈍いというわけではなく、訓練でそうしたのだ。自分の母親はだらしのない人間だったと幸司は思っている。幸司は父親を知らない。生まれたときから母親と二人だった。京都と兵庫の境目の小さな街で育った。港全体から干し魚の匂いがしてくるような日本海に面した街で、母親が何年間かずいぶん歳の離れた年寄りの男と暮らしたことがある。その男の家には女の幼児がいたが、それは男がまた別の女に産ませた子どもだということだった。

幸司はときどきユウコとあの女の幼児が重なって見えることがある。女の子の名前はフミといって、幸司より四歳年下だった。幸司の母親は、男や幸司が見ていないところでよくフミを虐めた。男は当時既に五十代の後半で、漁協の役員をしたり、市会議員をしたりして、椎茸《しいたけ》がよく採れる山林を持っていた。男には右目の横にうずらの卵くらいの大きさの瘤《こぶ》があった。瘤はまわりの肌と違って薄い黄色に変色していて、男が酒を飲むとまた赤黒く色が変わった。男は最初優しかったが、ある夜酒を飲んでいて、幸司はそのまま病院に運ばれるほどひどく殴られた。幸司がその瘤のことを、蝶のさなぎみたいだ、と言ったからだった。幸司はそのとき九歳だった。それから、誰も見ていないときに母親がフミの背中に熱湯を垂らし、男は酒に酔うと必ず幸司を殴るというようなことが繰り返されるようになった。ただし、母親がフミにそういうことをしていたことを幸司が知ったのはずっとあとになってからのことだ。

やがて幸司の母親は男の家を出て、二人は大阪に住んだ。母親は天王寺駅近くのスナックに勤めた。幸司は学校でいじめられたが、中学に入る頃になるとからだが大きくなり、しつこくからんでくる同級生を二階の教室から突き落としてから、いじめはなくなった。その同級生は背骨の破片が脊髄に刺さって半身不随になった。幸司は逮捕され、少年審判を受けて保護観察処分になった。学校へ戻ると幸司をとりまく状況は一変していた。いじめられることはなくなり、恐れられるようになった。半身不随になった同級生の病室へ行ったときのことを幸司はよく憶えている。ベッドに半分だけ身を起こした同級生に幸司は謝ったが、勝利の感覚を味わった。幸司はそうやって暴力でしか解決できないことがこの世の中にはあることを学んだ。あの干し魚の匂いがする街で、あの男が味わっていたのもこれと同じ勝利の感覚だったのだろうと、幸司は思った。

高校に入ってしばらくした頃に、母親が覚醒剤で捕まるようになった。母親は何度も逮捕され、やがて懲役がついて、収監された。幸司は生活保護を受け、木造で六畳一間のアパートに移って高校に通った。すぐ隣にある自動車の塗装工場の騒音が二十四時間聞こえてくる部屋だった。母親が刑務所に入って一人になってから、幸司に変化があった。以前ほど暴力的ではなくなり、自信のようなものがついた。市の福祉課の職員は、母親の不在が幸司に危機感を与え更生したと判断したが、実際はそうではなかった。幸司は母親と離れて、自由になっただけだった。それまで母親から何か大事なものを奪われ続けていたことを自由になって幸司は初めて知った。

高校二年の夏、大阪、尼崎そして西宮のほぼ全域にわたって、輸入された蟹が原因の寄生虫感染症が発生した。顎口虫《がっこうちゅう》の一種だったが、幸司はそれをテレビで見たとき自分でもよくわからない胸騒ぎを覚えた。アナウンサーが、その寄生虫について説明していた。この顎口虫の一種は新種の寄生虫で、人間は適当な宿主ではないために、人体内では親になることができない。だから、この寄生虫は幼虫のまま人体を移動する。脳や神経系に入り込むとさまざまな障害を起こし、内臓に入るとひどい下痢や嘔吐があり、肺に入ると呼吸困難を引き起こす場合がある。皮膚近くに出てくると、その幼虫の通った跡がミミズ腫れになることがある。そしてテレビはその寄生虫の顕微鏡写真を紹介した。

幸司はその小さな虫の形と、存在の仕方に強く魅了された。虫はまるで恐ろしく小さい市街電車のような形をしていた。決して親になることがなく幼虫のまま人体を歩き回る、という生き方。幸司は自分の母親とあの干し魚の匂いの街の男について思いを巡らし、親になること自体が既に堕落だと考えていた。幼虫のままで人体を歩き回るという寄生虫が、極小の英雄のように思えた。幸司は寄生虫に関する本を読むようになった。

アニサキスやランブル鞭毛虫《べんもうちゅう》やマダガスカル条虫、マンソン住血吸虫、ズビニ鉤虫《こうちゅう》。知識が増えていった夏のある日、フミが突然アパートを訪ねてきた。母親の逮捕で幸司達が大阪に住んでいることを知り、親戚だということにして市の福祉課に問い合わせアパートを見つけたらしい。フミは十二歳になっていて、あの男のところを逃げてきたと言った。大きくなったらあなたのところにすぐに逃げようとずっと決めていた、でもあの母親がいればまたひどいことをされるし、それにあなた達がどこに住んでいるのかわからなかった。そのときに幸司は母親がフミに何をしていたか知った。その夜、フミは裸になって背中や尻や首筋にできた火傷の痕《あと》を見せた。これはあなたの母親がわたしを水道のホースや針金で縛ってやかんで熱湯をかけた痕だと言った。幸司はフミが言うことを疑わなかった。当時を思い出してみると、母親には何か異常なところがあった。フミのことを見る目とか、そういうことだ。幸司はわけがわからず涙が出てきて、フミに謝った。寄生虫の顕微鏡写真や模型や標本が置いてある六畳間で、車体塗装用のコンプレッサーの突風に似た音を聞きながら、火傷の痕を舐《な》めてくれたらあなたも母親も許してあげる、とフミは言った。幸司はそれが性的な行為だと知らなかった。幸司は幼い頃一緒に住んでいた十二歳の少女と初めてセックスしながら、これでまたこの女に大事なものを奪われるという予感を持った。フミは、あの男が連れ戻しに来るまで、三週間、幸司のアパートにいた。その間に幸司は寄生虫に関する興味を失った。母親が出所してくると、横浜に逃げ、中華街でコックの見習いをしているうちに、ユウコの養育者に拾われた。

幸司はずっとユウコの下の部屋にいなければならなかったが、まったく苦にならなかった。幸司は部屋でずっと漫画を読んだり、ビデオを見たりして時間を過ごす。たまにユウコが一緒にご飯を食べようとか画集を見ようとか誘うことがある。絵本を読んでくれということもある。そういうときユウコはそのあとで必ず裸になって幸司を誘う。幸司が拒否すると、わたしのことが嫌いなのか、と聞く。別に嫌いなわけではなくて、どういう形であれ他人とからだで交わるのがいやなのだ、と幸司は答える。ユウコは納得するわけではないが、無理に何かをやらせるということはしない。その代わりわたしがオナニーするところを見ていてくれとユウコは言う。幸司は、カップ麺やデリヴァリーのピザやモスバーガーを食べながらユウコがオルガスムを迎えるまでオナニーを見続ける。

アンモニアを嗅がせると、意識を失っていた男が目を覚ました。ケミカルメスを浴びると、意識が戻ってもしばらくは喋ったり立ち上がったりできない。男はほとんど幸司と同年輩だ。どういうタイプの男かわからないので、幸司はしばらく様子を見ることにした。塾帰りの中学生から、ヤクザまで、ユウコはあらゆる種類の男を部屋に連れ込む。髪を染めたり、耳や鼻にピアスをしている若い男だったらたいてい害は少ない。軽く脅すだけで、もう二度とあの女には近寄らないと必死で謝って這いつくばるように逃げる。厄介なのは精神が不安定なやつだった。

まわりを見回して状況がわかってきたのか、男は何か叫びだそうとした。頬と顎の筋肉が動き口が開いたのでそれがわかった。幸司は拳を振り下ろして男の鼻を殴った。男の鼻の骨が折れ、唇も切れて血が流れ出した。人間の鼻の骨は簡単に折れて、それで戦意はだいたい失われる。運転免許証か身分証を出せ、と幸司は言った。そんなもの持っていないと男が首を振ると、もう一度、既に折れている鼻を殴った。男の顔の鼻から下は血塗《ちまみ》れになっている。幸司はいつもこの同じ場所でユウコが連れ込んだ男の始末をつけることにしていた。宅地造成中の区画の裏通りで建物も人の気配もまったくなく、盛り上げられた土でまわりからも死角になっていて、百メートルも歩けばタクシーが通る広い道路に出るから解放するときにも都合がいい。自分が暴力が好きなのかどうか幸司はわからない。こうやって男の顔を殴って、いやな気分になるときもあるし、興奮することもある。どういうタイプの人間を殴ればいやな気分になり、どんな場合に興奮するのか決まっていない。

ユウコは暴力が好きな女だと幸司は思う。ユウコがたまに電話して呼ぶ女がいる。三十代前半の女で名前は確かカナといった。そういう仕事を専門にしている女で、鞭《むち》とかも自分で持ってくる。幸司もユウコに言われてカナの尻や背中や胸を鞭でぶったことがあって、そのときは興奮した。カナが悲鳴を上げ涙を流すのを見ながらユウコはずっと声を上げて笑っていた。カナの背中や尻は傷だらけだったし、皮膚が妙に柔らかくて胸もまるで老人のように垂れていた。こういう女ではなくて、と幸司は何度も思ったことがある。こんな女ではなくてもっと若くて肌がぴんと張った女の尻や胸を血が流れるまでぶったらどんな気分になるのだろう。フミと一緒だった大阪のアパートでの夏の三週間は、今思い出すと特別だった。まだ十二歳だったが、フミは避妊を含めて体位などセックスのありとあらゆることを知っていた。ほとんど食事らしいものを摂らず布団を敷きっぱなしで、一日中裸でフミとただ抱き合いからだ中を舐め合っていた。強い日差しが差し込んで部屋は暑く、眩《まぶ》しく明るくて、幸司の硬く勃起した性器を受け入れる十二歳の女の裸はさまざまな体液にまみれて輝き、まるで発光しているようだった。背中にある無数の小さなケロイドがきれいだと幸司は思った。隣の塗装工場のコンプレッサーの振動音が音楽のように聞こえた。フミは一年前から東京に来ている。

　自分が興奮しているのか、いやな気分になっているのかわからなかったので、幸司はさらにもう一度男の目のあたりを尖らせた拳の先で突いた。男は声を上げて泣きだし、何かわけのわからないことを呻《うめ》き始めた。そしてからだを震わせながら胸のポケットを探り、身分証を出して幸司に示した。夜間警備会社の身分証だった。運転免許証も出せ、と幸司は言った。持ってない、と男は血を吹き出しながら叫んで、ズボンやシャツや上着のポケットを全部裏返して見せた。

　男の顔を上に向かせ耳に口を押し当てて、おれから殺されると思うか、と幸司は聞いた。おれがお前を殺すと思うか、お前はここで死ぬと思うか、そういう運命だったと今感じているか、そういう風に耳元で繰り返し何度も言うと、本当に殺されると思ったのか、男はパニックになって暴れだそうとした。傍らに盛ってあった土を一摑《ひとつか》みすくって男の口の中に押し込んだ。手を嚙まれないようにして土を男の口に押し込みながら、土の中にいる寄生虫にはどんな種類があったか幸司は思い出そうとした。鉤虫、という懐かしい名前がすぐに浮かんできた。鉤虫は昔は十二指腸虫と呼ばれていた。一八三八年、日本では大塩平八郎の乱が起こった翌年に、ミラノという街でアンジェロ・ズビニという人が死体を解剖して十二指腸からその寄生虫を発見した。それで和名はズビニ鉤虫となった。糞便に出た虫卵はやがて孵化《ふか》して〇・三ミリほどの大きさの幼虫になる。さらにそれが成長して夏なら四、五日で感染幼虫になり、皮膚から、また野菜などとともに口から侵入し、約二ケ月で成虫になる。成虫の大きさは約一センチで、鉤虫は血を吸う。一匹のズビニ鉤虫は一日に〇・二cc吸血する。百四寄生していれば一日に二十cc失血することになる。駆虫して出てきたズビニ鉤虫を指で潰すと、血がぴゅっと飛ぶ。顕微鏡写真では、ズビニ鉤虫には牙のようなものが見えた。

逃がしてやるから警察には絶対に言うな、幸司はそう言った。男は土を吐き出しながら何度もうなずいた。身分証をポケットに戻してやり、男を解放した。まっすぐ行けば駅に出るから、それまでおれのほうを決して振り向くな。男は歩きだした。幸司から二、三十メートル離れたところで、何か呟き始めた。幸司は耳を澄ましたが何を言っているのかわからなかった。幸司はフミのことを思い出していた。フミは新宿歌舞伎町のランジェリーパブで働いている。十七歳になったばかりだ。あの干し魚の匂いがする街の男の家の電話番号は知っていたから、フミとは連絡を取り合っていた。幸司は時計を見る。もうすぐ朝の四時になるところで、もうフミはアパートに帰っているかも知れない。フミのアパートは大久保にあったが、まだ幸司は訪ねたことはない。フミのほうは一度だけ幸司を訪ねてきたが、ユウコがひどく怒りだして、すぐに帰った。ユウコは基本的に他の人間と関係を持てない。他人とどういう風に接すればいいのか知らないのだ。幸司が他の女と話したり、他の女のほうを見ただけで怒る。ユウコのおじさんにかなりの額の金を貰っているから、幸司は反抗できない。

男は駅に続く広い道路を歩き続けている。姿は小さくなったが一度も幸司のほうを振り返らない。まだ口から砂を吐き続けているのがわかる。もっと殴ればよかったかな、と幸司は思った。いつもそうだ。解放したあとで、もっと殴るか殺すかすればよかったと思う。もったいなかったな、と。男の後ろ姿を広い道路に出て見送りながら、幸司はすぐ傍の電話ボックスに入った。

「はい」

フミの声はいつもかすれていた。

「おれだよ」

幸司はフミの部屋に男がいなければいいなと思った。

「誰？」

だがフミはいつも誰かが傍にいないと眠れない。

「幸司だよ」

幸司は今夜も誰か男がいるんだろう、とあきらめることにした。フミとはいい思い出があるが、人間には、たとえそれがどんな人間であっても何か期待したりしてはいけない。

「あ、おにいちゃん」

また誰かを殴ったんだな、と思いながらフミは言った。あの男は誰かを殴ったあとに必ず電話をしてくる。

Vol. 13

俊彦

フミは男のことをおにいちゃんと呼んでいたが、それは男が喜ぶからだった。朝の四時で、フミはテレビの映画を観ながら近くのコンビニで買ってきたおにぎりとマカロニサラダを食べていた。映画は途中から観たので、アメリカの犯罪ものというだけでストーリーがまったくわからなかったし、コンビニのおにぎりはいつものように嚙み砕いて呑み込んでも味を感じなかった。昨日は非常に寒い夜で歌舞伎町は人通りがほとんどなく、店は三時で終わりになった。普段だったら客が一人もいなくても決められた五時までは営業するのだが、客引きが、通りに誰もいない、と寒さに震えながら報告してきたので店長が閉店を決めた。今その客引きの男がフミの部屋にいる。タートルの黒のセーターの上に安っぽいスーツを着た男は二十代後半の元サラリーマンで、泊まるところがなくていつもは店のソファに寝ている。ひょっとしたら三十代かも知れないが、歌舞伎町では本当の歳や名前を問題にする人はいない。客引きの男はこれまでにも何度かフミの部屋に泊まりに来ているが、一緒にベッドに入っても何もしない。

フミがおにいちゃんと呼んでいる男は、またあの女が変なやつを連れ込んだんだよ、と電話口で話している。あの男にはそれしか話題がない。昔は寄生虫のことをよく話していたが、飽きたようだ。フミは男の話を聞き流していた。聞かないわけではない。耳には入れるが、まったく注意を払わない。少し頭のおかしい女のガードマンをやっている男は、前はもっと頻繁に電話をしてきた。特にフミが男のマンションを訪ねていったすぐあとはほとんど毎日のように、電話があった。それが次第に減っていって、最近は一ケ月に一度あるかないかだ。フミは男が電話を切るまで、適当に返事をしながらおにぎりを舌でほぐし口の中で回した。フミが話にまったく興味を覚えていないことを実感するまで話し続けてから、じゃあな、と言って男は電話を切った。

フミはそういう瞬間が好きだった。興味を持たれていないことを相手が知る瞬間。それほどひどくがっかりするわけではない。だが、相手の前から姿を消したような感じになることができて、相手が戸惑うのがわかる。昔、透明人間が好きで憧れてたが、別に本当に透明にならなくてもいいのだとわかった。優しく接したあとで、興味がないことを相手が怒らない程度にそれとなく態度で伝えればいいのだ。おにいちゃんまた電話してよ、とフミはおにぎりがドロドロの液体になっているのを確かめながら言った。フミの部屋は新宿副都心がよく見える1LDKのマンションだ。道路に面した二階で昼間は車がうるさいのが欠点だが、フミはこの部屋が気に入っている。雑費を入れると二十万近くするが、働いているランパブやテレクラで客を月に数人探せば、払えない額ではなかった。客引きの男は上着を脱ぎパネルヒーターの前で、小さく背中を丸めてビールを飲んでいる。この部屋には石油ストーブはないのかとフミに聞いた。ない、と答えると、そうか、と呟いてまた黙りビールを少しずつ飲んだ。

石油ストーブという言葉で、フミは昔を思い出してしまった。フミが生まれて育った日本海の港の傍の家には必ず石油ストーブがあった。海のほうから冷たい風が吹きつける季節になると、他の家々にも、例えば漁師やその女房達が集まってお茶を飲みながら話をしたり何か催し物があったりする漁協の集会場のようなところにも石油ストーブは必ず置いてあった。幼稚園や学校の帰り、海の彼方《かなた》から舞い降りてくる雪を避けて、そういう集会場に入ると燃える灯油の匂いが鼻を突き、大人の男達の酒臭い息と煙草の煙が充満していた。ずっと閉めきってあるために換気が悪かった。息が詰まりそうだったが、外に出るわけにはいかなかった。自分はここにいるしかないのだと思った。煤《すす》と湯気で濁った窓ガラスからは暗い灰色の海とシルエットになった平凡な形の山々が見えた。窓ガラスに雪がぶつかり、一瞬にして水滴に変わった。あの汚いガラス窓が境界だとフミは思った。内側は暖かいが空気が澱《よど》んでいて不快で、外は湿って重い雪が降っている。どこかにその二つの中間みたいな場所があればいいのに、と小さいときによく思った。内側の世界と外側の世界の境界であるあのガラス窓のようになれないだろうかと思ったが、そんなことはどう考えても無理だった。誰か知らない男と一緒のベッドに入って肌を合わせ性器を舐め合ったり擦《こす》り合ったりして男が射精するときの表情を見たりするとき、自分が寒さと暖かさの境目になっているような気がすることがある。からだと心のどこか一部は雪の中を歩いているかのように冷たく、別のどこか一部はストーブのすぐ傍にいるかのように熱かった。でもそういう感覚は長続きせずすぐに消えてしまう。

フミにとってそういった記憶は頭の中に浮かんでくるものではない。物質として内臓のどこかにいつもあって、ふとしたときに、例えばある言葉を耳にしたときとか、匂いを嗅いだときとか肌触りを感じたときに、血液に乗って皮膚の表面まであっという間に昇ってきて気力を奪う。まるであの海の街の記憶だけが確かな現実で、パネルヒーターがあるこの清潔な部屋には質感も何もないような気がしてくる。何を食べても同じ味しかしないのと似ている。

いつ頃からそうなったのかわからないのだが、フミはほとんど味を感じることができない。

幼児のときに甘いミルクを飲んだことをかすかに憶えているが、それも今ははっきりしない。小さい頃はそれが普通なのだと思っていた。食べ物はすべて同じ味がするのだと思っていた。味というか、単なる刺激だ。痛いとか、冷たいとか、そういう感覚と同じような刺激。東京に出てきてから初めて知り合った男にそのことを話した。その男の顔や名前は忘れたが、何か重いものを運ぶ仕事をしている男だった。大きな石とか金属の塊とかそういうものをトラックで運んでいた。東京に着いてすぐ、駅前の自動販売機からウーロン茶を買って飲んでいると話しかけられて、そのままその男のアパートに行き、一ケ月ほど一緒に住んだ。あるとき一緒に食べたパック入りのいなり寿司が腐って異様な酸っぱい味がしたのだが、フミはそれがわからなかった。どうして今まで誰も気づかなかったのだろう、と男は不思議がった。一人で食べることが多かったからだと思う、とフミは答えた。異常だから病院に行ったほうがいいと男に言われた。ちゃんと治さないと腐ったものとかわからずに食べてしまって危ない、と。

最初は男のアパートの傍の病院に行ったが、もっと大きなところに行ったほうがいいと品川の近くにある大学の病院を紹介された。大学の病院でも原因はわからなかったが、何度か通って医師の話を聞くうちに味覚についての知識が増えた。味覚に関してはよくわかっていないことが多いのだと医師は言った。味は、舌にある味蕾《みらい》という場所で感じられる。味蕾は舌の小さな突起の側面にあって、外側から口に入ってくる食物と触れ、また、神経を伝って脳にもつながっている。味を感じるのはもちろん人間だけではないし、また他の動物では舌以外でも味を感じることのできるものがある、魚の中には、顔面や胸びれなどに味を感じる器官を持つものがあり、昆虫では足の節目の部分に鋭い味覚器があるものもある。甘い、鹹《しおから》い、苦い、酸っぱいという四つの味がわかるのは、これまでわかったところによると、人間と蜜蜂とある種の淡水魚だけだ、味覚は生後すぐにまず甘いものを識別できるようになり、やがて他の三つの味もわかるようになる、まったく味がわからない人というのは今まで見たことがない、化学物質のせいで一時的に味覚が麻痺《まひ》することはあるし、ごくわずかに味盲という病気の人がいることがわかっているが、味盲の人はあなたのようにすべての味が同じになるわけではない、そういうことを医師は言った。

「石油ストーブを拾いに行かないか」

ビールを飲んでいる客引きの男が言った。すぐ前の道の角に粗大ゴミが捨ててある場所があるだろう、あそこでさっき石油ストーブを見たんだ、よく見てないのでわからないがたぶんまだ使えそうなやつだった、今から拾いに行かないか。フミは、寒いのか、と聞いた。男は首を振って、言った。

「儀式をしたいんだ」

夜明けが近いというのにアパートの外はあまり寒くなかった。湿気のある空気は煙るように霞《かす》んでいて西新宿の超高層のビル群の先端が見えない。客引きの男は粗大ゴミの捨て場のほうにまっすぐ足早に歩いていく。マンションやアパートが密集している一帯で、あちこちの部屋に灯りがついている。音楽や話し声が洩れてくる部屋もある。軒の低いモルタル造りのアパートの一室からは外国語で怒鳴り合う声が外まで聞こえていた。英語ではない、とフミは思ったが、どこの国の言葉かはわからなかった。いつか外国へ行ってみたいとフミは思っていて、きれいな写真が載っている旅行雑誌をよく読むが、この国の外側は想像できない。フミは東京にも違和感があった。あの日本海側の街には死んでも戻りたくないが、寒さと不快感がはっきりとした輪郭を持っていた。すべてが明確だった。外側では雪が常に舞っていて、内側は吐き気がする暖かさだった。その二つを隔てているのは汚れたガラス窓で自分はその切り離されている内側と外側のどちらかにいなくてはいけない。ガラス窓になることはできなかった。今でもよく憶えているが、パネルヒーターを買ったときはうれしかった。その他にもあの生まれ育った街にはないものを手に入れたいと思ってきた。ベッドもそのひとつだし、チェックの模様のテーブルクロスやウサギの形をしたスリッパや花柄のバスマットなんかもそのひとつだった。それらを身の回りに置いておくのは楽しかった。もっといろいろなものが欲しいし、そういう思わず微笑んでしまう可愛いものに囲まれて暮らしたい。だが、そういった小物や家具は気持ちを引きつける力が弱い。内臓のどこかに眠っている記憶が襲ってきたときにはあまり役に立たない。換気扇を常に回しているが、ときどきふいに部屋に漂ってくるあの街の魚の匂いを消すことはもちろんできない。客引きの男が粗大ゴミの置き場を漁《あさ》っている。細い通りには一定の間隔で街灯が立っている。この通りは生暖かい、とフミは青白い蛍光灯のスポットライトの下で思った。部屋の中は適度に暖かく、外は生暖かい。内側と外側の境界がはっきりしない。快適だが、弱い。あの海の傍の街の寒さがからだの奥に甦るのをこの快適さは防ぐことができない。客引きの男が石油ストーブを下げてこちらに歩いてくる。

危ないな、と男は言った。

「灯油が入ったまま捨てられている、危ないよ」

客引きの男はフミに断ってから石油ストーブに火をつけた。男によれば石油ストーブはスウェーデン製のものでどこも壊れていなかった。円筒形の、ストーブだった。懐かしい匂いがフミの部屋に漂う。確か男は儀式をすると言った。そのことを聞くと、男はある映画の話を始めた。どこの国の映画かわからないんだがヨーロッパの田舎が舞台で、姉と弟がいて、あるとき弟が母親の用事で外出したまま行方不明になってしまうんだ、母親はその弟を溺愛していた、あんたがいなくなればよかったのになどと姉は母親から言われる、傷ついた姉は自分の胸を煙草の火で焼くという儀式を始める、自分を罰するつもりだったのだろう、弟は死んだということになり両親は離婚し、姉は母親と住むことになる、やがて六年が過ぎて、弟ではないかと思われる男娼の少年が他の町で発見される、母親は喜ぶ、姉は本物の弟ではないと思う、あるときその弟が姉を襲おうとして、彼女に超能力があることがわかる、テレポーテーションだ、遠くへものを移動させる力だ、その夜弟は姉のベッドに忍び込む、昔よくそうやって眠れない夜に添い寝をしてもらったんだ、昼間やったあれは何なんだと弟は聞く、あれは超能力だろう、どうやったらあんなことができるんだ、あんたがホモのセックスのやり方を教えてくれたらやってみせてあげると姉は答えて、電球のフィラメントを切ってみせる、暗くなって、弟だと自称する少年と姉とのセックスが始まる、煙草の火を胸に押し当てたから超能力を得たとは姉は言わない、だがそれは明白だ、おれはその映画を十数回見た、そういうことを言って、客引きの男はセーターとシャツをめくり胸のあたりをフミに見せた。小さくて丸い火傷のあとが何ケ所かついていた。それを見てフミは自分の背中の火傷の痕を思い出した。今まで何度か一緒に寝たが火傷の痕には気づかなかった。からだの表と裏という違いはあるが似たような火傷の痕がある人間がこういう風に一緒の部屋にいるとすべての人間に同じような火傷の痕があるのではないかと思えてくる、そう考えてフミはおかしくなった。フミの表情が弛《ゆる》んだのを見て、何かおかしいことがあるのかと男が言った。別に何でもない、そう答えてフミは黙った。背中の火傷のことは言いたくなかった。今ではだいぶ小さく目立たなくなっているが、過去の話をするとろくなことはなかった。暗い女だと思われてしまうし、虐められるのが好きなのだと勘違いされて縛られそうになったこともあったし、同情される危険もあった。理由はよくわからないが男に同情されるとその男を殺したくなる。暴力は嫌いだが中学の頃はよく事件を起こした。

客引きの男は自分の手の指を石油ストーブの上蓋に押し当てた。十秒ほど押し当ててから指先を離した。髪の毛や爪が焼けるときの匂いがして、男の目に涙がにじんでいる。超能力が欲しいのか、とフミは聞いて、よくわからない、と男は答えた。何かが欲しいわけじゃないし、痛いのが好きなわけでもないんだ、高校の頃に読んだ外国の小説家が書いた文章にさっきの映画と似たようなことが書いてあった、彼は何か麻薬をやったんだ、幻覚剤とかそういうものだけど、それで神に決められた人間のレベルでは自分は最低のレベルに近いんだという妄想にとり憑《つ》かれた、その妄想は強烈で、読書をするとか音楽を聴くとか散歩をするとかそういうことでは逃れられない、彼は外界の信号がすべて暗示だと思う、テレビをつけると出演している人がみんな自分のことを話しているような気がしてくるし、ＤＪがラジオで喋っているのはすべて自分のうわさだと思ってしまう、それでその暗示はただ二つの解決策しかないと言っているようだった、他の人間を殺すか、自分を罰するかだ、彼は他の人を殺すのはいやだったから、自分を罰することにした、それで石油ストーブで手の指を焼いたんだよ、その痛みで彼は救われたんだそうだ、つまりなんていうか心の病気にならずにすんだわけだ、さっきそれを思い出して、おれも石油ストーブで試してみようと思ったんだ。

傍に寄ってよく見ると男の右手の指先が黒く焦げていた。なぜそう思ったのかはわからないが、この男は今夜はセックスをしてくれるかも知れないとフミは思った。治療したほうがいいと言ったが、男は首を振って、石油ストーブを消した。ストーブの芯が燻《くす》ぶるときの匂いがして、フミは不快になり壁際まで歩いて窓を開けた。窓の下に知らない男が立っていて、フミを見つけると、声をかけてきた。

「あんたら、さっきゴミ捨て場から何か持っていったでしょう？」

男は白のトレーニングウェアを着て、金属バットを持っていた。石油ストーブだよ、とフミは言った。客引きの男が傍に寄ってきて、ゴミだと思ったから拾っただけだ、と穏やかな声を出した。

「他には何も拾ってない？」

トレーニングウェアの男は、バットで地面を軽く叩きながら聞いた。フミは首を振った。

石油ストーブだけだよ、何なら上がってきて確かめてもいいよ。

「いや、だったらいいんだ」

　嘘は言ってないようだと思って、俊彦は部屋に戻ることにした。

「悪かったな、ちょっと大事なものをあのゴミ捨て場に捨てたものだから」

　部屋の窓が閉まった。大事なものを捨てるって言い方は矛盾してたな、と思って俊彦は一人で笑った。逆光でよく顔は見えなかったが、かなりきれいな若い女だった。男は弱そうなやつだったからいつか襲ってやろう、そう思いながら俊彦は自分のアパートまで戻ることにした。

Vol. 14

ヨシキ

俊彦は途中で粗大ゴミ置き場に寄り、数時間前に捨てたゴルフクラブをまた拾った。PING の二番アイアンで、クラブヘッドにはまだヨシキの血がついていた。もうヨシキは部屋に戻っているだろうか、そう思いながら俊彦はさっきのきれいな女がいたアパートを見上げた。逆光でよく見えなかったが、ヨシキより痩せていたし、確実にきれいだった。今夜ヨシキとセックスするときにあの女のことを考えようと、俊彦は思った。

他の女のことを考えながらセックスをするのは最高だと俊彦は思っていて、それを教えてくれたのは千葉の運送会社で働いていたときに知り合った人妻だ。あの女と付き合っていた頃はトラックを運転しながら栄養ドリンクをひっきりなしに飲んでいた。女は覚醒剤の常習者で腕も足も血管に胼胝《たこ》ができてしまっていて歯茎や舌にも注射していた。女に勧められて俊彦も何度か打ったことがあるが、からだに合わなくて止めた。覚醒剤の成分が切れるときの生ゴミが内臓に詰まっていきからだも一緒に腐っていくような感じがいやだったのだ。あの人妻はラブホテルで会うとすぐにやりたがった。そして一緒にいる間ずっと欲情していた。髪にカーラーを巻きつけているときもドライヤーで髪を乾かしている間も俊彦の性器をくわえたがった。しゃぶるのが異常に好きな女だった。

あの女と付き合ったおかげで女はみんなあの女みたいにしゃぶるのが好きなのだと思うようになりそれで何度か失敗したことがある。ヨシキの前に付き合っていたのはミチコという女で高校のときハワイに留学していたような金持ちの家の娘だったが、コンドームなしで性器をくわえるのを嫌がりそれで目を強く殴ってしまい片目を失明させた。中指の骨を少し突き出すようにして拳をつくり目にうまく当たると眼球という柔らかい器官がつぶれる感触がよくわかって気持ちがよかった。そのとき以来俊彦は目を殴ることで興奮するようになって、街で知り合った女と公園とかに行き抱いてやったあとに失礼なことをしたり言ったりした何人かの目を狙って殴った。俊彦は子どもの頃よく虫を殺して遊んだが、人間の目のような感触でからだがつぶれる虫はいなかった。ヨシキに対しても一度目を狙って殴りつけたことがあるが、気配で察したのか彼女は両手で固くガードした。あの人妻は夫が少し恐い人だったし覚醒剤をやっていてまともではなく喫茶店で会ってもそこのトイレで俊彦の性器をくわえるような女だったので殴るきっかけがなかった。わたしのおまんこに飽きてるんだったら他の女のことを考えればいいのよ、とあの人妻はいつも言っていて、実際に街を歩いているときなどに、ほらあの女なんかきれいじゃない、今日ホテルに行ったらあの女のことを考えるのよ、わかった？　ちゃんと顔とか憶えた？　などと大きな声で言ったりした。

ＰＩＮＧの二番アイアンのクラブヘッドについたヨシキの血は既に乾いていたが、まだおれはこのクラブで本当のゴルフのボールを打ったことがないな、と俊彦は思った。三ケ月ほど前に一人で池袋の喫茶店でビールを何本か飲んだあと、気持ちよくなって通りにあったゴルフショップに入った。ゴルフショップというところにはどんなものがあるのか一度見てみようと思ったのだ。左の眉のあたりにピアスをはめて紫色のネクタイをした店員が現れ、何を探しているのか、と俊彦に聞いた。別に何も探していない、と俊彦は答えた。ゴルフに興味はないがゴルフショップというところにはどんなものがあるのか見に来た、そう言った。店員は店内を案内した。店員は一緒に歩きながら、この店は辞めようと思っているんだ、というようなことを俊彦に話した。叔父がやってる店なんだけどここで働いていないと保護司がうるさいからな、でもすぐにでも辞めたいんだ、そういうことを言った。店員は店内を一回りしたあとで、クリスタルがあったら売ってくれ、と俊彦の耳元で囁いた。クリスタルというのは、色情狂の人妻もときどき持っていて火で炙《あぶ》ってその煙を吸い込む覚醒剤の結晶で、そんなものは持っていない、と俊彦は答え、ウィンドウの中に飾ってあったＰＩＮＧの二番アイアンを衝動で買った。金色に光っていたシャフトが長くてかっこいいと俊彦は思ったのだ。

煙草が切れていたと俊彦は思い出した。でもバカ臭い白のジャージーを着たまま部屋を出たのでコンビニには行きたくなかった。ヨシキに頼めばいいと思った。ヨシキは三歳年上の二十六で俊彦の言うことをよく聞いてくれる。レギュラーのショートホープを買ってきてもらわなくてはいけない。最近はライトのほうがよく売れるためかレギュラーを置く自販機や店が減った。ショートホープはレギュラーでなくてはいけない、ショートホープのライトなんかを喜んで吸うやつのことはわからない、そんなやつはＰＩＮＧの二番アイアンで頭を割って殺したほうがいい、一度は捨てたゴルフクラブと金属バットをかちんかちんと軽く触れ合わせながら俊彦はそう思った。

ヨシキは仕事から帰っていて、出かけるときに着ていた紺色のワンピースのまま台所に立ち部屋中に砂糖と醤油が混じった匂いがしていた。ヨシキとは二ケ月前に近所のスナックで知り合った。ヨシキは都内の病院で働いている看護婦だった。額に絆創膏《ばんそうこう》を貼っていた。昨日の夜、俊彦が二番アイアンで殴った傷だった。俊彦は八畳一間のヨシキの狭い部屋に充満した砂糖と醬油の混じった匂いを嗅いで胃のまわりがむかむかしてきたがヨシキに謝った。絆創膏をして花とか壁掛けが寂しく飾られた安っぽい台所にいるヨシキが本当に痛々しく見えた。本当は土下座をして謝りたかった。傷は痛むかよ、ひどいことをしたなとおれは一日中ヨシキの傷のことを心配してたんだけどさ、このゴルフクラブにしたって、見るのもいやだったから捨てようと思って実際に一度捨ててきたんだけど反省の意味とかもあってまた拾ってきた、おれはゴルフはやらないからよく知らないけどこれけっこう有名だし高いクラブらしいんだ、だからこうやってヨシキの血とかついているやつを誰かが拾ったりするといやだしさ、本当に悪かったって感じだし、謝ってすむことじゃないけど心から謝りたいんだよ、だっておれはヨシキに出ていかれたりしたらもうどうしていいかわからなくなってしまうからさ、今日こうやって帰ってきてくれてどんなにおれが安心しているかきっとあんたにはわからないと思うよ、おれはいつも不安っていうか前にも話したけどおふくろがそういう人だったから、おれにとって誰よりも大切な人間っていうかそういう人がこれでもうおれのところへは戻ってこないんじゃないかって突然不安になるときがあってそういう予感はこれまで必ず当たってきたから今度もきっとそうじゃないかって思ったんだけど、おれってヨシキに傍にいてもらえないと何をどういう風にしていいのかわからなくなってしまうんだ、そういうことを言っているうちに俊彦はとりかえしのつかないことをしてしまったという思いがあふれてきて、こういうことばかりやってるんだったらおふくろと同じになってしまう、おふくろがやったことを今度はおれが他の人間にやってるんだと思って、気がつくと涙を流していた。本当にこの女にひどいことをした、と思った。もういいの、それほどひどく切れたわけじゃないから本当にもういいの、とヨシキは俊彦の頬を撫でながら言った。

俊彦は私生児だった。母親は栃木で年齢を偽ってスナックのホステスをしていて十六歳で俊彦を産んだ。母親は今もまだ四十になっていない。父親だという男は俊彦が小学校の低学年の頃までときどき訪ねてきたが、あるとき母親の両親とひどい喧嘩をしてそれ以来姿を見せなくなった。俊彦は宇都宮にある母親の実家で育ったが、母親は数ケ月に一度ほどの割合でいなくなった。母親の実家はてんぷらを揚げるときに油がまわりに飛び散らないためのアルミ製の仕切り板を作っていた。母親は普段は非常に優しくおとなしい性格で昼間は化粧品の訪問販売をやり夜はクラブで働き玩具とか服とか欲しいと思ったものを俊彦は何でも買ってもらった。だがときどき母親はいなくなることがあった。いなくなるときは何の前触れもなくそのあとはしばらく手紙も電話もなかった。母親は突然に出ていってクリームシチューやカレーライスが皿に盛られたまま冷えていくこともあった。戻ってくるとき母親は抱えきれないほどのお土産を俊彦や両親に買ってきて、急にいなくなったことについて泣きながら俊彦や両親に謝った。母親がいなくなったすぐあとにクリームシチューから湯気が消えていくのを見ながら味わった恐ろしい喪失感と戻ってきたときに味わう怒りと安堵《あんど》の混じり合ったどきどきする気分を俊彦は今でもはっきりと憶えている。その両方が繰り返されるうちに外の世界は自分の関与できないところで既に重要な決定がなされていてそのせいで極端な喪失感と安堵が交互に繰り返し襲ってくるのだと思うようになりやがてそれは確信に変わった。世界は俊彦にとって既にできあがっていて固定されたものだった。てんぷらの仕切り板をプレスする音が家のまわりに響き、母親は消えてまた現れたが自分の周囲は何も変わらなかった。俊彦は自分の言葉や行動に何かを変える力があるという概念を持てなかった。状況を極端に変えるのはいつも母親だった。てんぷらの仕切り板を作っていた両親は東京の専門の業者を雇って何日間か母親を尾行させたが、まだ小学生だったので俊彦はその結果を聞いていない。

中学校に行くようになってからその当時母親が付き合っている男に会ったことがある。そのとき母親は三十そこそこという年齢だったが高校を出たばかりというような年下の競艇の選手と付き合っていて俊彦は衝撃を受けた。その男は自分と歳があまり変わらないように見えた。その競艇の選手と母親はすぐに別れたようだったが、俊彦は何度か連絡をもらいその男に映画に連れて行ってもらった。男は戦争映画が好きだった。映画が終わってデニーズとかでハンバーグとかを食べるときなどに男はよく母親の話をして、あんなにきれいで優しい女の人は他にはいない、というようなことを俊彦に言った。東京に出てきてからも俊彦はその男に一度だけ会ったことがある。あんたの母親がこの電話番号を教えてくれたんだよ、と男は言って、一緒に「クリフハンガー」という映画を見た。男はもう競艇選手ではなく川崎のほうの中古車販売会社で営業をしているらしくて、トヨタの特に4WDの中古車だったらものすごく安くなるから欲しいときは電話してくれるようにと名刺をくれた。

俊彦は予備校に行くために東京に出てきたが、予備校はすぐにやめた。予備校をやめたことがわかっても母親は毎月かなりの額を送金してきた。人間はほんの些細《ささい》なことで暴力に目覚めるのだと俊彦は思っている。母親に似たきれいな顔をしていて背も高かったので高校の頃から努力などしなくても女が寄ってきた。予備校で知り合った女は静岡の材木屋の娘で異常に嫉妬心が強くヒステリーだった。それも実際に嫉妬した現場では黙っていてあとで二人きりになってからえんえんと文句を言うのだ。付き合って二ケ月ほど経った頃、他の女のほうを振り返って見たというだけでラブホテルに入ったあとに泣いて文句を言い始め何か汚い言葉を叫びながら俊彦の首を絞めようとした。俊彦はそういうことをされたのは初めてで、最初は、止めろよとか、いい加減にしろとか言っていたが、息ができなくなってきて恐くなり拳で振り払うようにして女の鼻のあたりを殴った。夢中だったので殴ったという感触はなかったが、女は鼻を押さえてラブホテルの楕円形のベッドに倒れ光沢のあるシーツが黒っぽく染まっていくのが見えた。女は泣くのを止め驚いた表情で俊彦のほうを見ていた。ショック状態で女は震えだした。俊彦は恐くなり女の傍らに横になり肩のあたりに手を置いてさすりながら必死で謝った。そういうときに何を言えばいいのかわからなかったので、ごめん、ごめん、ごめん、と言い続けた。ごめん、ごめん、ごめんと言い続けているうちに涙が出てきた。女のからだの震えは次第に強くなり俊彦が手を置いている肩のあたりが硬張《こわば》ったかと思うと女は急にものすごい声で叫び始めた。こんなに大きくて金属的な声で叫んでいると誰かホテルの者が不審に思うかも知れないなどと俊彦は考えることができなかった。世界は自分と関係ないところで決定され運営されているわけだから何が起こったとしても自分にできることなど何一つあるわけがない。やがて電話が鳴ってそれを無視するとラブホテルの部屋が激しくノックされそれもしばらく放っておくとドアが開いて男が二人部屋に入ってきてそれを見た女は叫ぶのを止め鼻を押さえながら、何でもありません、ちょっとケンカしちゃって、と言った。ラブホテルのような場所ではそういうことはよくあることなのだろう、二人の男は、今度は警察呼ぶから、と言って部屋から出ていった。女の鼻からはあとからあとから血が吹き出していた。シルクのような光沢のあるシーツに染み込むことなくその表面をただ滑るように流れていく黒っぽい血を俊彦は泣きながらずっと見ていた。何かアクションを起こして世界が変わるのを見るのは生まれて初めてのことだった。

ヨシキがテーブルに料理を並べている。俊彦が転がり込んできてから、ヨシキは椅子が二つ付いたダイニングテーブルセットとテーブルクロスと銀の食器を二組ずつ買った。セミダブルのベッドも買ったので部屋はひどく狭くなってしまった。俊彦は一応代田橋に部屋を持っているがめったに帰ることはなくそれでも母親が自動的に家賃を振り込むので何の問題もない。マカロニサラダときんき鯛の煮付けと湯豆腐とあさりの味噌汁がテーブルに並べられていた。白桃が食べたい、と俊彦は言った。え？　とヨシキが聞き返した。缶詰の白桃だよ、と俊彦はもう一度言った。シロップに漬かってる甘くて白い桃の缶詰があるじゃない、あれが食べたいんだけどもうファミリーマートは閉まっているかな、おれが行ってもいいんだけどジャージー着てるからコンビニには行きたくないんだ、でも味噌汁が冷めてしまうね、そういうことを言いながらヨシキの髪を撫でた。

「大丈夫だと思う、ファミリーマートは二十四時間やってるから大丈夫、そうね、デザートがなかったわね、味噌汁はまた温めればいいのよ」

ヨシキが買い物に出かけ彼女を待っている間、あさりの味噌汁から湯気が消えてしまっているのに気づき昔の恐怖が甦りヨシキに甘えてわがままを言って白い桃なんか頼んだから罰が当たったのかも知れないとかいろいろなことを考えて寂しくなり泣きそうになっているとやっとヨシキが帰ってきて、どうしても白桃が見つからなかったのよねと言いながら洋梨の缶詰をファミリーマートの袋から出した。俊彦は洋梨の缶詰を見て自分の鼻の奥のほうで妙な具合に神経が発火するのがわかった。バカ野郎おれはちゃんと白桃と言ったじゃないかと怒鳴りながら俊彦は気がつくとゴルフクラブでヨシキの耳のあたりを殴りつけていた。あまりに興奮していたために怯《おび》えて立ちすくむヨシキの耳のあたりをかすめたあとゴルフクラブは俊彦の手からすっぽ抜け絨毯《じゅうたん》の上で弾み台所のほうまで飛んでいった。俊彦は自分でもわけのわからないことを大声でわめきながら床に倒れ込んで攻撃を避けようとするヨシキの右肩を左手で強く摑んでからだを支え中指の骨を突き出した形で拳をつくって目を狙って殴りつけた。ヨシキは以前に目を殴られそうになったことを憶えていて顔を俊彦から背けるようにねじり、全体を両手で固く被った。俊彦の拳はガードしたヨシキの指の隙間に減《め》り込み指をこじ開けるようにして目蓋《まぶた》の上に当たりそこの薄い皮膚を切った。悲鳴を上げて逃げようとするヨシキの髪を俊彦は摑んだ。俊彦はヨシキの髪を摑んで彼女のからだをぐるぐると回すようにした。ヨシキはバランスを失ってよろめいたが髪を摑まれていて倒れることができなかった。俊彦は髪を持ってからだを引きずりヨシキは痛みで手足をバタつかせたので足で蹴ってしまう格好でテーブルが傾きマカロニサラダのガラスボウルが上を滑って床に落ち甲高い音を立てて割れた。そうやって煮魚や味噌汁や湯豆腐も床に落ちテーブルそのものも椅子も倒れ絨毯からすさまじい匂いがしてきた。俊彦は煮魚を踏みつけ細い骨が足の指に刺さった痛みでやっと少し自分を取り戻し掴んでいたヨシキの髪の毛を離して腕で彼女のからだを支え泣きながら、許してくれというようなことを言い始めた。おれはどうしてこうなってしまうんだ、と俊彦は言ってヨシキの前で土下座をした。どこにも行かないでくれ、ヨシキがいなくなってヨシキに行かれるとオレはもうどうしていいかわからない、きっと死んでしまうかも知れない、そういうことのあとに俊彦はいつものように母親のことを語り始めた。おふくろが出ていってしまうときおれはただ待っているだけで冷えていく料理を眺めていたんだけど温かい料理の湯気というのは最初はゆっくりとあとでは急に消えていくものでそれを見ていると死にたいとかそういったことも考えられなくなってしまってからだが硬くなって動かなくなって、ただ時計の音とかがものすごく大きく聞こえてくるんだ。

俊彦の両手に絡みついている自分の髪の毛を見て、もう我慢できないかも知れないとヨシキは思った。目の前できれいな顔の男が土下座してからだを震わせて泣いている。この男の顔は本当にきれいだと思う。こんなに整った顔の男はもう見つけることができないかも知れない。きれいだなと思う顔をただ見ているだけでその日に起こったいやなことを全部忘れることができるのだということをヨシキは俊彦で初めて知った。それにこの男はこの部屋から出ていくことはないだろう、わたしはこの部屋以外に行くところがない、そういうことを考えていて自分でも気づかないうちに、俊彦を許していた。わたしはこれからもう一度白桃を探してくるから、とヨシキは俊彦にそう言っていた。駅の向こう側のコンビニに行ってみるよ、ヨシキがそう言うと俊彦は泣きながら足や腕や顔にめちゃくちゃにキスをした。わたしはこの子のおかあさんなんだと思いながらヨシキは俊彦の頭をそっと長い間撫でてやった。おかあさんなんだと思うのは気持ちがよかった。髪と化粧を直し目尻の血を拭ってバンドエイドを貼り、ヨシキが部屋を出ていこうとすると、ショートホープのレギュラーを買ってきてくれない？　と鼻声で俊彦が言った。

「お願い、ライトじゃなくてレギュラーだよ、ライトは死ぬほど嫌いだから」

Vol. 15

園田

アパートから百メートルほど離れたところで、ショートホープはライトだったのかレギュラーだったのか、忘れていることにヨシキは気づいた。

ヨシキは煙草を吸わない。だからあの男がレギュラーとかライトとかにこだわるのはよくわからない。ヨシキにはそういうこだわりがない。食べ物に好き嫌いはないし、洋服やアクセサリーや化粧品などにも気を遣うことはない。同僚の看護婦にも何人かそういうのがいるがファッション雑誌などを読んで流行の服を着る女というのはバカだとヨシキは思う。服は寒さから身を守るためにあるのだと誰か偉いと評判の年寄りの学者がテレビで言うのを聞いたことがあるがその通りだと思っていた。アパートまで戻ってあの男にもう一度煙草の種類を聞いたほうがいいかも知れない。だがあの男はきっとヨシキが煙草を買って戻ってきたと思い、そうでないことがわかるとまた殴るかも知れない。

夜明け前で通りはひどく寒かった。足下のコンクリートから冷気が伝わってくる。昨日は同僚の一人が急に外国へ旅行に行くことになって結局十四時間勤務ということになり食事も満足に摂れなかった。考えてみると昼に中華風弁当を食べただけだ。同僚はたまたま安いチケットが取れたからというだけで急に有給休暇を申請して認められた。クラサワさんに頼めばいいからいいわよ行ってらっしゃい、と婦長がその同僚に言うのが聞こえた。クラサワというのはヨシキの苗字だ。ヨシキという名前は良く喜ぶという風に書くが広島県の福山というところで郵便局の副局長だった父親がつけたものだった。父親は剣道と歴史小説が好きでアルコール依存症だった。小さい頃は男みたいな名前だとよくからかわれた。父親の好きな歴史小説に出てくる鎌倉時代のお姫さまの名前らしかった。ヨシキには姉が一人いて彼女の名前はナオキといった。ヨシキとナオキはその歴史小説の中でも姉妹らしかった。姉のナオキは子どもの頃から活発で明るくヨシキはいつもうらやましかったしねたんだことも多かったが姉は大学のときに自殺した。自殺したときに彼女は妊娠していたのだそうだ。だからヨシキは昨日うれしそうにトランクを持って病院に挨拶に来て彼とハワイに行くんですと言っていたあの同僚も決して単純に明るかったり自分と比べてみても幸福なわけではないと思う。その子は明るくて積極的で男にも人気があるという風に病院では見られている。そういう見かけの評価ほど当てにならないものはないとヨシキは思う。姉は聞いたこともないようなひどい方法で自殺した。葬式でも死体にビニールシートが被せられたままだった。どんなに幸福そうに見えてもその人の心の中で何が起こっているのかはわからない、だから外見で人を判断するのは間違っている、だからわたしは絶対に外見を飾ろうとは思わない、ヨシキはそう思っている。

殴られたショックとそのあとのあの男の謝罪とキスの奇妙な感動でただ一着だけ持っているコートを着るのを忘れてきて、そのうえ空腹と眠気が手伝って寒さは何倍にもなった。今から二十分前に白桃の缶詰がないことを確かめたファミリーマートをヨシキは通り過ぎようとしている。ファミリーマートの表の通りの街路樹の根本に灰色の長い毛の犬が繋《つな》がれていてヨシキに向かって吠えた。駅の向こう側のコンビニに行ってみると安易にあの男に言ったが考えてみればファミリーマートの何倍かの距離があった。

ひょっとしたらあのあとに仕入れのトラックが来て白桃の缶詰が入荷しているかも知れないと思い、寒さのために手足の指の感覚が失くなってきたこともあってヨシキはファミリーマートの中に入った。二人の男の店員はいらっしゃいませと言わなかった。自分の姿が変なのだろうとヨシキは思った。バターやチーズの棚にある鏡で自分の顔を見た。薬を塗って傷をふさいだつもりだった目尻からまた出血していて髪の毛にも血がこびりついたままだったし上唇が鼻に触れそうなくらい腫れ上がっていた。これじゃみんな恐がっていらっしゃいませなんて言わないよ、とヨシキは独りごとを呟いて自分で笑った。笑うときに上唇が痛み小さい頃に父親に殴られたときのことを思い出した。家族は郵便局の官舎に住んでいた。隣は局長の家で、局長の家族には同級生がいて仲が良かった。父親はひどく酔うとそのことを理由に必ずヨシキを殴った。局長の奥さんと親しそうに話していたというだけでヨシキの母親もよく殴られたり蹴られたりした。殴る男はどうして必ず女の髪を摑むのだろうか。父親も必ず自分や母親の髪を摑んで顔を殴り腹を蹴った。

白桃の缶詰はありませんか、レジでそう聞くと二人の店員はヨシキの顔から目をそらし一人の店員が、ハクトウって？　と聞き返した。白い桃だとヨシキは言ったが缶詰売り場にないものはないと店員は目を合わさないまま答えた。ヨシキはもう一度缶詰売り場に行って棚の上の段から一つ一つ確かめていった。それを三度繰り返したが白桃の缶詰はなくてまた寒い外に出るのは辛いと思っていると、ケンカしたんですか、とキャベツを左脇に抱えた若い男に声をかけられた。男はヨシキが思わず触りたくなるほど肌触りの良さそうな黒のモヘアのセーターとその上にヨシキがこれまで見たことがないくらい鮮やかな濃い緑色のダウンジャケットを着ていた。ええ、ちょっと、とヨシキは言って、痛む唇を歪めながらそのジャケットの色をほめた。きれいな緑色ですね。アボカドグリーンという色なのだと男は笑いながら言った。こういう笑い顔をあの男はしないとヨシキは思った。柔らかな笑い顔だとヨシキは思った。女を殴るなんてひどいやつだな、と緑のダウンジャケットを着た男は言って左手に持ったキャベツを野球のボールのように弾ませ、それであなたは今いやな気分なわけ？とヨシキに聞いた。男はまだ十代ではないかと思うほど若くて何というか病気が抜けた患者のような晴れやかな顔をしていた。植物人間になってしまったり後遺症が残ったり老人の癌のように共存してしまう場合は別だが、たいていの患者にはそのからだから病気が出ていく瞬間というのがある。その人間のからだにとって明らかに害になる何かが抜け出ていく瞬間。ちょっと傷が痛いけど気分は大丈夫、とヨシキは男に言った。そうか、と男は呟いて、むかついているんだったら今からウサギを殺しに行くから見に来ない？　とヨシキに聞いた。この男はどうしてそんなことをレジにいる店員にもわかるような声で言うのだろうと不思議できっと嘘をついているのだろうとヨシキは思ったが興味があってウサギはどうやって殺すのかと質問してみた。

あいつが殺すんだけど、と男は表に繋いでいる犬を示した。ウサギ小屋のカギを壊してウサギをキャベツで校庭におびき出してあいつを放すんだけどだからあいつには昨日から餌をやってない、ぼくは遠くから見てるんだけどウサギの骨をあいつが嚙み砕く音がミュージックなんだ、なんかたとえていうならスポーツカーのギアがうまくかみ合わないような音で、何かが壊れていくのがわかる、ウサギは殺すべきだ、あいつはフォックステリアという本当は狐狩り用の犬だけど野生のウサギが全力疾走したらとても追いつくことなんかできないけど学校で飼われているウサギは校庭で逃げもしないんだ信じられる？　ウサギは犬が近づいてくるのがわかるとうずくまって動かなくなるんだけどそれは自分で餌を探すのを止めてしまって人間から餌を与えられているからだ、生きようという意識がなくなってるんだと思う、そういうのはウサギだけじゃないと思う、最近妙なことがよく起きるだろう、子どもが子どもを殺したり浮浪者が浮浪者を殺したり子どもが親を殺したり親が子どもを殺したりしているだろう、ああいうことはなぜ起きるのかわかる？　男はヨシキにそう聞いた。

男のセーターからは何かいい匂いがしてこの人は女を殴ったりしないだろう、でもウサギを殺すと言ってるくらいだから殴るのかも知れないとそういうことを思い、でも可哀想じゃないの、と男が聞いた質問とは関係ないことをヨシキは言った。ウサギ以外にも可哀想なものはたくさんある、と男は答えた。可哀想なのはまず子ども達だ、この国のくそみたいなルールを勝手に押しつけられている、ウサギは可愛い、ぼくも昔ウサギを飼っていたけどあんなに可愛い動物は他にはあまりいないと思う、でもウサギを可愛いと思える子どもなんかもうどこにもいないと思う、みんなそんな余裕がないと思う、今の子ども達は大人の言うなりになっていてはいけないんだと思う、生き物を大事にしましょうと大人達は言うが誰も大事になんかしていない、自分以外のことなんかどうだっていいと思ってる、ぼくの弟は慢性の白血病で骨髄の提供が必要だったけどバンクの順番を待っているうちに死んでしまった、骨髄バンクだってあれは国がやっているものではない、民間のボランティアがやっている、誰も生命を大事になんかしていない、子ども達は嘘を教えられているわけで本当のことを誰かが教えなければいけない、ウサギを育てることで生命の大切さなんかわかるのはほんの一握りで、あとはみんなウサギを殺してみたいと思っている、ウサギは殺さなければいけないと思う、それで子ども達がみんな大事なことに気づくはずだと思う、ウサギを殺すのは楽しいからあなたも来れば？　暗い夜明け前の校庭であいつがウサギを追って走るところを見るのは気持ちがいいよ、ぼくはカール・ルイスが走るところを国立競技場で見たことがあるけどそんなものじゃないと思う、本当に心からわくわくすることって今あまりないじゃない、ね、ないじゃない、白とか灰色のウサギは校庭でもさもさとキャベツを食べているんだけどそれはもういらいらするくらいのろまで何かがやってきてウサギを殺さないかってきっと誰だってそういう風に思うよ、鎖を放してやるとあいつはまるでアーチェリーの矢のように校庭にくそみたいに転々と散らばったウサギを追って一直線に走りだすんだけど、駅裏の区立の小学校でやってるから本当にあなたも来れば？

十ケ月の入院がやっと終わって今から退院する患者のようにうきうきとした感じで男は言

った。これからの自分の人生は楽しくて仕方がないものになるはずだというような言い方だった。いや自分はこれからちょっとした用事があるから、とヨシキは一緒に行くのを断った。わかったぼくは無理強いはしないから、と男は握手を求めてきた。ヨシキは握手した。手にべっとりと何か白いものがついていてそれは精液だとしばらくしてから気づいた。男は既にレジでキャベツの代金を払いコンビニを出ようとしていてヨシキはあとを追おうとしたが疲れていたせいもあってあきらめた。ワンピースのポケットを探ったがティッシュを忘れていた。ハンカチがあったがそれは母親が香港から買ってきてくれたもので知らない男の精液をそれで拭きたくなかった。コンビニの広いガラス窓の向こうに緑色のダウンジャケットの男が犬を連れて走っていくのが見えた。ウサギを殺しに行くのだろうかとヨシキは思った。ヨシキはファミリーマートの外に出て犬が繋がれていた木に右手をこすりつけて精液を拭った。時計を見ると朝の四時十分過ぎで、もうあの男に殴られてもいいからアパートに戻ろうかと考えていると、レジにいた店員の一人が表に出てきて、ちょっと、とヨシキを呼び止めた。これ、と店員は見たことのない小さな瓶をヨシキに渡し、これは馬の脂で傷によく効くから塗りなよ、と言った。おれボクシングやっているんだけど目尻とか切れたとき塗るとよく効いてすぐに傷がふさがる、そう言って店員は瓶をヨシキに預けたまま店の中へ戻っていった。もらってもいいものかどうか聞いてみようと店に向かうと、ガラス窓の向こうでさっきの店員が、それはやるからもういい、というような仕草をしているのが見えた。その店員に頭を下げてヨシキはまた歩きだした。歩きながら瓶の蓋を開けて中のどろりとしたマーガリン色の薬の匂いを嗅いでみた。ただ脂の匂いがしただけだったがヨシキはそれを指ですくって目尻の傷に歩きながら塗った。

歩きながらもうアパートに戻ったほうがいいのではないかと何度も考えたが、いやだったのは白桃を買わずに帰るとあの男がまた怒ってしばらく寝れない可能性があることだった。あの男はきっと心配しているだろう、とヨシキは思った。たまにはもっともっと心配させる必要があるのではないだろうか、わたしが必ず戻ると思っているからあの男にしてもあれほど甘えるのではないだろうか、暴力は甘えていることの証拠だといつか誰かが雑誌に書いていたがそれは正しいとヨシキは思った。父親もそういうところがあった。父親は郵便局の局長に対して誰よりも尽くしていた。その奥さんや子ども達に対してもそうだった。それも映画とかテレビでよく見るような単にぺこぺこと頭を下げたり煙草の火をつけたりすり寄っていって鞄《かばん》を持ったりという露骨なやり方ではなかったから身近にいるものにしかわからなかっただろう。父親は局長の前でも堂々としていて二人はほとんど同年輩だったのでまるで幼なじみの友達のような口のきき方をするときもあった。だが父親が気を遣っていることが家族にはよく見えた。その同級生だった局長の娘と遊んでいるときに父親はその同級生に可愛いとか今度読書感想文で賞を取ったらしいねとかはきはきしてるって先生達に評判だとか必ずそういうことを言った。うちのもそのくらい頭が良かったらよかったのにとかそういうことを言うくせに家に戻り酒を大量に飲むうちに何であいつとばかり遊ばなければいけないんだと怒鳴ってヨシキを殴った。局長の奥さんは気取らない人で偉ぶったようなところはなくヨシキの母親とは仲が良かった。あの人は重要なことを平気で相談するからかえって困るなどとヨシキの母親はこぼしていたくらいで子どものような女の人だった。母親の実家の北海道から初物のアスパラガスが送られてきたときに母親はよかったら食べて下さいと届けた。君の奥さんのところのアスパラガスはうまいねみたいな話が郵便局であったのだろう、その日父親は家に帰ってきてから一言も喋らず酒を飲み続け、やがておれよりもあいつのほうが大事なんだなと怒鳴りながら母親の髪を摑んで腹や胸を蹴り続け母親が死んでしまうと思ってヨシキは110番をして警察を呼んだ。だがそのあと警察を呼んだことで母親はヨシキを叱った。父親からはお前は家を出ていけと言われた。姉はそういうことに超然としていた。非常に強い人だとヨシキは姉のことを思っていた。

駅を通り過ぎる頃には寒さで手の感覚が失くなってきた。時間的に構内を通り抜けることができなくて駅のまわりをぐるりと迂回《うかい》しなければならなかった。結局父親のことは尊敬できないし、そういう自分が信じられなかったが二年前に死んだときも悲しくなかった。姉が死んでからしばらくして、わたしは殴られてよかったんだとヨシキはそういうことを思った。姉はほとんど殴られなかった。というより家族から常に距離をとるようにしていたのだと思う。自分は殴られることで父親への愛情を全部消費することができたのではないか、殴るのも殴られるのもコミュニケーションの一つでコミュニケーションはとりあえず消費されなくてはいけないのではないか、わたしがこうやって夜勤あけに寒い駅裏を歩いているのもコミュニケーションでわたしはあのきれいな顔の男への愛情を消費しようとしているのかも知れない、ヨシキはそういうことを考えて気がつくと緑色のダウンジャケットを着た男が話していた小学校の校庭を見下ろす場所に来ていた。校庭は暗くて何も見えなかった。ウサギの小屋があるのかどうかもわからない。しばらくすると目が慣れてきたが走っている犬や死んだウサギがいる気配はなかった。手足だけではなく全身が寒さで痺《しび》れてきて、白桃の缶詰のことなんかどうでもよくなった。あの男とのことも父親のことも昨日ハワイに行った大嫌いな同僚のこともそういうのはどうでもいいのだとヨシキは思った。どうでもよくないことが何かあるはずなのだがそれを探すような余裕がまだないし余裕ができたとしてももう遅いのかも知れない。それにあの緑色のダウンジャケットの男が言ったことは案外正しいのかも知れない。殺さなくてはいけない。それがウサギなのかどうかはわからないしそれは自分かも知れないが確かに何かの生命を奪わないと何かが変わるような気がしない。父親は局長を殺すべきだったのだ。父親は敵意をずっと曖昧にしたままわたしや母親や姉を犠牲にした。そういう生き方は許されないのだとヨシキは思った。今までは何となく許されてきた。だがもう許してはいけない。許さないということは、殺すことだ。あのグリーンのダウンジャケットの男が今現れてあの灰色の長い毛の犬を放しウサギを嚙み砕くところが見れたらどんなにいいだろうとヨシキは思いその光景を想像した。

「おい」

背後からその声が聞こえてヨシキはびっくりした。

「やっぱりあんたか」

馬の脂をくれたファミリーマートの店員だった。私服に着換えている。勤務があけたのだろうか。さっきはどうもありがとうございました、とヨシキはお礼を言った。

「うん、そういうのはいいんだけど、悪いけどさっきの馬の脂返してもらえるかな、あの馬の脂は長野の有名なやつなんだけど、あれからあんたにプレゼントしたあと携帯に連絡入って生産中止になったらしい、それであれをおれは使うし、悪いけど返して欲しいんだ」

この女が見つかってよかったと思いながら園田は言った。この女が行ってしまってから絶妙のタイミングで携帯に電話があってそれはボクシングの先輩からで彼女が妊娠したらとりあえずどうするかとかそういうばかな話をしているうちに話題がバッティングの傷のことに変わって結果的に馬の脂の生産中止がわかった。あのいつも店に来る頭のおかしい犬好きの男とのウサギがどうのこうのという話が聞こえていたのを思い出してこの小学校脇を帰りに通ってみることにしたのだ。これ以上の止血剤はないし顔がぼこぼこの女が可哀想だとプレゼントしたが考えてみれば先輩からのもらいものだった。女は、はいと言ってすぐに返した。悪いな、と受け取って、園田はそのまま走りだした。

Vol. 16

美奈子

園田は二十一歳になったばかりでボクシングを始めてからまだ半年しか経っていない。普通のシャツやズボンやセーターを入れたバックパックを背負って電車の駅にして六駅分の距離を走ってアパートまで帰ることにしている。走りながら、ああいう頭のおかしいやつは店に入れないほうがいいのではないだろうかとあの犬を連れた男のことを園田は考えた。あいつは玄関に金色の二頭のライオンの彫刻があるようなすぐ近くのマンションにどうやら独りで住んでいてほとんど毎日深夜か明け方に店に犬を連れてやってきてドッグフード一缶とか電球一個とかセロリ一束とかそういう人をなめたような買い物をして二、三時間店の中をうろうろし話ができそうな他の客を見つける。一週間に一度、数人いる社員と園田みたいなバイトが一緒に集まって胚芽入りのビスケットが最近よく出るのでもっと仕入れたらどうでしょうみたいなミーティングをやることになっていてあの男のことはそのたびに話題になるがあれでも一応客なんだからということで結局いつもそのままになってしまう。

変なきっかけで始めたボクシングだがこのところやっとパンチを教えてもらえるようになってきたので園田としてはどのくらい腰の入ったパンチが打てるようになったかああいう気持ちの悪い同世代の金持ちの顔で試してみたいのだがそんなことをしたらたぶんバイトはクビになるしあのジムだってやめさせられることになるだろう。この先どうなるかわからないがとりあえず今のところバイトもボクシングも特別にいやだという部分はないので両方ともやめたくはないから園田はあの男を殴れない。あの男がやってくる遅い深夜と明け方はもっとも客が少ない時間帯だということもあって、他のお客様のご迷惑になりますのでという普段世間でまかり通っている口実が使えないのだそうだ。園田のシフトのときの社員は以前働いていたセブン‐イレブンのマークの刺青《いれずみ》をしてファミリーマートで働いている優しい人でその社員のことが好きだったこともあって本当にあの犬男はむかつくやつでそういうやつを店で好きにさせておくのは社会の常識みたいなやつと矛盾していると園田は思ったが我慢していたのだった。

あの犬男がどの程度の金持ちなのか園田は知らない。セブン‐イレブンの刺青を入れてファミリーマートで働いている社員はいつか母親と犬男が銀色のベントレーに乗っているのを見たと園田に言った。その社員は犬にも詳しくてあの灰色の毛の長い犬はテリアという犬種の中でもイギリス北東部にしかいない珍しいタイプで青山ケンネルだったら最低でも六十万はするというようなことも園田に言った。犬男は自分のマンションから歩いて二、三十メートルのコンビニに来るのにわざわざイタリアもののスーツやシャツを着てくることが多くてからだにふりかけているコロンも毎晩違っていて、近くに来ると臭くて必ず張り倒したくなった。あの犬男が本当は何をしに店に毎晩やってくるのか誰にもわからないのだが、話し相手が現れるまで決して帰ろうとはしなかった。

ロードワークは嫌いだが先輩やボクシングジムの責任者からとにかく走れと言われているから走っている。どうしてあんなやつのことが頭に浮かんでくるんだろうと園田は思った。けっこう美人でここ二週間二日おきのペースでやらせてもらっている女のことを考えながら昨日は走ったのだが、うまくいかなかった。女の太腿《ふともも》やあそこや胸やその女がしゃぶってくれているところを想像しながら走るとどういうわけか走るのが無意味に感じられることがわかった。あの犬男のことを考えてむかついているほうがロードワークには向いているのかも知れないと園田は思った。あの犬男は普通の大人の男や女には話しかけない。犬男が話し相手に選ぶのはホームレスに近い格好をした方言まるだしの出稼ぎのおじさんとかどこかからだの不自由な人とか誰からも相手にしてもらえそうにないブスな女とか中南米や中国から働きに来ている人とかどこからかふらふらと迷い込んだ子どもとかそういう弱い立場の連中だった。さっき話しかけられていた女はそれほど目立ってブスというわけではなかったがつい今しがた乱暴な恋人に殴られてきましたというように顔がぼこぼこだったから犬男に相手として選ばれたのだろうと園田は思った。

そういう風に弱い立場で他人の温かさに飢えているような人を犬男は狙って、レジにいても聞こえるような声できわどい話をするのだった。自殺した人や戦争で死んだ人の写真集があるから部屋に見に来ないかと言うときもあったしサリンガスの作り方を知っているから一緒に作ろうと持ちかけることもあったし自分はからだの不自由な人のプロレスのプロデューサーだとか誰かを誘拐して北朝鮮に送りたいから手伝ってくれとか七十歳以上のばあさんでセックスしたら百万くれるという人がいるけどやらないかとか両手両脚を切断した女を部屋でペットとして飼っているが見に来たらセックスさせてやるとか、犬男は主にそういう話をした。

セブン－イレブンの刺青をした社員は犬男が母親と一緒に店に現れたときに居合わせたことがあるらしい。母親のことをママと呼んで手に受験参考書を持ってたぞと社員は園田に言った。犬男がもし公立の高校のような場所にいれば数時間ではっきりすることがあの店では曖昧になっていて問題にされない。園田は高二の夏休みに登校拒否を実行したがあのまま学校に行っていれば死んでいたと思う。東京と埼玉の境目にあるあまりレベルの高くない公立の受験校で規則と罰と暴力の収容所だった。園田は普通の商社員の家庭の次男で小さい頃から歳の近い兄としょっちゅう喧嘩していたぶん体罰には強かったがその高校を支配していた原則には敵対することができなかった。誰からも嫌われないようにしなくてはいけないという原則だ。その原則は一ケ月もするとからだの中に染み込んできて嫌われるよりは死んだほうがいいと誰もがごく自然に思うようになった。

中学から一緒の友達が高一のときに登校拒否になりそのあと精神病院に入ったのだがそいつが学校に来るのをやめてから教師に言われて一度家に行ったことがあってそのときの恐怖が園田には忘れられないものとなった。午後に家を訪ねたときにそいつはまだ寝ていて園田が来たことをそいつの母親が知らせるとパジャマ姿で起きてきた。二ケ月顔を見ないうちに最初本当にあいつなのかと園田が疑ったほど痩せてしまっていた。部屋で二時間くらいダービースタリオン2をやっているときに、おいソノダ気が狂ったふりをしていると本当に気が変になるんだぜ知ってたか、と園田に言った。そいつはそういうことを笑いながら園田に言って、笑うときの声や笑い方が変だった。三十秒経っても二分経っても自転車の急ブレーキみたいな声で笑うのを止めなくて園田は背筋が寒くなった。

ソノダおれはこの世の中の人間みんなが仮面をつけて生きていると思っているんだがお前

はどう思うかな、馬が死にそうなくらい疲れてゲーム画面に休ませて下さいという表示が出るのもかまわず走らせ続けながら、そいつは園田にそういうことを言った。そいつはそんなことを言うやつではなかったし、中学でダービースタリオン1をやっていた頃は疲れている馬をむりやりレースに出し続けるようなやつでもなかった。

　この前名前は忘れたけどかなり有名な昔の俳優が死んだんだ、それで衛星放送でそいつが主演した大昔の映画をやってて、ヒマしてたから観たらすごい恐いシーンがあってさ、ああ、「笛吹童子」という映画だ、その主人公の兄貴が悪い連中に捕まって絶対に外れないという仮面を顔にはめられてしまうわけ、はめられたときそいつは苦しがって暴れるんだけど仮面は絶対に外れなくて悪い連中はそれを見て本当に楽しそうに大笑いしているんだ、おれは鳥肌が立ってしまってそれ以来その画面が頭から離れないんだ、おれはそれが誰だかわからないけど誰かがおれの知らないうちにな、絶対はずれない仮面をおれに、はめたんじゃないかと思うようになった、その頃からみんながおれのことを見ているんだと思うようになったんだ、おふくろと一緒に診療を受けに行ったら視線恐怖という軽い神経の病気だと言われた、ゲーセンとか行っても他のやつがゲームをやっているふりをしながらおれのことを見ているような感じがするんだよ、どこに行ってもそうだった、みんながおれを見て笑っているような感じがした、どうして笑っているかといえばそれはおれが仮面をつけているからで、次にいったい誰がおれに仮面をつけたんだろうと考えたんだが、それは家の人間以外にはいないだろうと思った、あの映画に出てきた仮面とは違うよ、あれは大昔のものだから今はもっと進歩していて新しい素材がたくさんあるじゃないか、シリコンとかそういうやつで、それをつけているということがわからないくらい顔にフィットしてしまう透明な仮面だってあるはずだと思ったんだけどさ、仮面をつけているから、別におかしくもないときにおれは笑っちゃうし、笑いたくないときにも、人が笑っているからって笑わなきゃいけないのは変だよな、と思うことなんか昔からあってさ、そうしたら、おれは笑うときだけじゃなくていつもそうしたいからそうしているんだろうかって考えるようになって、家にいるときババアがおれを呼んで返事とかするときだって、おれは今本当に返事したいから返事したのだろうかとか考えると、神経がくたくたになってきたわけよ、それで家でさ、別にこれっていう不満もなかったんだけど、家の中で暴れるようになってそれでもオフクロやオヤジが嫌いになったわけじゃなかったからね、学校には行こうと思ったんだけど仮面のことなんか誰にも言えないし、学校に行かないって言ったらオフクロやオヤジは悲しむだろうなと思ったから、気が狂ったってことにしようと思ったわけ、なんか変な音が聞こえるから恐くて学校に行けないと、おれはオヤジとオフクロに言ったんだけどさ、どういう音だって聞くから大勢の人の笑い声だと言ったわけよ、よくダウンタウンとかの番組でスタジオに来ている人がギャグでどっと笑うじゃない？　ああいう笑い声だと言ったわけ、病院に連れて行かれたけどそこでも同じように笑い声のことを言ったら精神分裂病かも知れないって医者に言われてオフクロはそのことを黙ってたんだけど、オヤジがポロッとおれに言ってしまったわけね、入院するほど重くはないけど、とても学校には行けないだろうということになって、おれは一見成功したわけなんだけど、それからしばらくしてエフエフファイブをやっててもうすぐ全面クリアというときに実際にその笑い声が聞こえてきたわけよ、おれは何人かに電話しまくった、けどなんていうか恐かったからお前みたいに本当に親しいダチには電話できなかったんだ、もうすぐ全面クリアってときに笑い声が入ってるかって、おれは聞きまくったがそんな変な音がゲームに入っているわけないじゃない？　しかも笑い声はテレビのスピーカーからじゃなくておれの背後とか上の天井のほうから聞こえてくるんだからさ、もうそれでダメだったね、後悔したけど遅かったたね、気が狂ったふりだけはするもんじゃないよ、今は強い薬で抑えてるんだけど、その薬が切れたとたんに笑い声は聞こえてくるもんね。

　園田は高二になって学校に行くのが苦痛になってきたときそいつのことを思い出し、そいつのようになるのだと思った。実際にからだを壊して三日ほど休んだあとに学校に行ってみたとき、クラスのみんなと教師が透明なシリコンの仮面を被っているような妙な感じになって、どきどきする心臓がせり上がってきて口から飛び出してしまいそうないやな気分になったのをその日は耐えたが、その日だけで三ケ月くらい苦痛を我慢しているような気になってきてこのままではあの友達みたいになってしまうと園田は学校をやめた。あの友達がいたから学校をやめられたのだと園田は思う。学校をやめたあと父親の実家の長野で高原野菜作りを手伝ったり登校拒否の生徒ばかりを集めたセミナーに通ったり母方の叔父がいるアメリカのミネソタ州のミネアポリスという町で半年過ごしたりしたあとに、ものすごく小さなボクシングのジムを一人でやっている人をテレビのドキュメンタリーで知って、園田はそこに行った。

学校はあれほどおれを締めつけてきたのに、どうしてあの犬男は自由にばかげたことができるのだろうかとそういうことを考えながら園田は走っている。白く濁った息が自分のからだの後ろに流れていく。まだ五分も走っていないが足の筋肉が痛くなってきた。疲労というやつは物質なのだとスポーツの雑誌で読んだことがある。こうやって走っているとそういう感じがわかる。何か七味唐辛子みたいなものすごく小さな粒が、脹《ふく》ら脛《はぎ》や足首に詰まっていくような感じがする。町は夜明け前でまだ暗く、通りを走る車も少ない。走るのは嫌いだが町全体が寝ぼけているようなこういう時間帯にからだが自分の意志で疲労物質に対処しているのを感じるのは悪くないと園田は思う。もうすぐ夜明けが始まる。バイトの帰りにロードワークをやるようになってから、夜がどうやって終わっていき朝がどのようにして始まるか園田は知った。単純に夜が終わってカレンダーの月替わりのように朝が来るわけではなく、その中間の時間帯というのがあって、それを表すきれいな響きの英語をミネアポリスで覚えたのだがもう忘れた。園田はちょうど東に向かって走っていることになる。もうすぐ彼方に見える西新宿の超高層のビルの群れの輪郭がはっきりしてくる。輪郭にはまだ色がなく、黒と灰色のただの長方形にしか見えない。十本近い超高層ビルのさらに向こうにある空気の層に明るい亀裂《きれつ》が入り、その裂け目は暗い紫からピンクへと色を変えながらゆっくりと拡がっていく。グラデーションが地平線を浮かび上がらせたあとに、超高層ビルの金属とガラスが空を映し始める。空でもっとも明るいのは雲で、印画紙を現像液に浸けたときのようにビルの側面に雲が作られていく。空を眺めると、夜の空気が西のほうへと追いやられ、漂っていくのがわかる。そして風景全体が一瞬だけ深く透明な青い色に染まる特別な時間がやってくる。その数分間だけは、自分の吐く息までが美しい青に染まるのだ。

園田と同じ学年だった四人が予備校に通う間にオウム真理教に入ったらしい。学校をやめなかったからだと園田は思う。オウムに入ったやつらはまだましなのかも知れない。あのあと大学に行って、そのあとに会社に入って、それでもまだ病気になれない鈍いやつらが大勢いる。病気になれないのは鈍感なやつらだけだ。そういうのはいつか必ず急に死んでしまう。笑い声が聞こえると言っていたあの友人は、精神を治療しながら大学検定に受かって大学に入りバルカン半島の歴史を勉強している。あいつが一番シャープだったのだ。

赤いスカイラインが園田を追い越し三メートル先で止まった。

「首都高の入り口はどこですか？」

運転していた女が助手席のほうにからだを乗り出して窓を開け園田にそう聞いた。女はまだ真っ暗だというのにサングラスをしていて、髪が不自然に乱れていた。園田は足を動かしながら、入り口ってどこの入り口？　と女に聞いた。

「一番近いとこで、どこでもいいんです、どっちの道を行くんですか？」

丁寧な口調ではあったが女は苛立《いらだ》っているようだった。車は普通の練馬ナンバーだ。田舎から出てきているわけでもなさそうだった。

「あのさあ、首都高速はいろいろな方向に走ってるわけ、だからどこに行きたいのかわからないと入り口が違えば遠回りになるだけなの、どこへ行くの」

どこへ行くの、と聞かれても美奈子には行くべき場所なんかない。まだ混乱していて誰かと話をしなければ頭が破裂しそうだったから車を止めただけだった。美奈子はこの男に聞くのは止めたほうがいいかも知れないと思った。ジョギングとかしているからきっとうすらばかだろうと思ったがそうではないようだった。この男とはこれ以上何も喋らないほうがいい。何か気づくかも知れないし、出かけるときに何度もチェックはしたが、後ろのトランクにまだ血がついていないとは限らない。

「ええと、どうもありがとう、わたしは新宿に行くの」

美奈子はそう言ってサイドブレーキを外した。

「新宿って、ここは新宿区だ、新宿の首都高入り口？」

美奈子はもう答えずに、ありがとうございました、と言って車を発進させた。ジョギング中だった若い男は変な顔をしていた。車で死体を運ぼうと思ったのは間違っていたのかも知れないと美奈子は思った。今から急いで戻ればまだ暗いうちに死体をもう一度家の中に運び入れることができるかも知れない、それで細かくしてトイレで流したほうが安全かも知れない、美奈子はそう思った。

Vol. 17

チハル

自分の家に帰ろうと決めて、美奈子は自分の家がどこだったか忘れていることに気づきパニックになりそうになった。家を思い出そうとするうちに自分が何をしようとしているのかということまで曖昧になってきた。あのジョギング中の男と短い会話をしたのがよくなかったのかも知れない、と思った。あの男を殺したときのディテールが次々に脈絡なく浮かんできて頭が破裂しそうになり、このままでは事故を起こすかも知れないと恐くなって、誰かと話してみることにしたのだが逆効果だったようだ。何をしようとしてこうやって自分の家の近くをぐるぐる車で走っているのかわからない。やらなければいけないことがたくさんあったような気がする。意識が正常に働くのを何かが妨害しようとしている。

家に帰るのかそれともこのままどこかに死体を捨てに行くのかはっきりと決めなくてはい

けない。家を出るときには富士山の麓《ふもと》に行こうと思っていた。樹海というものがあってそこでは遭難者とかでもめったに発見されることがないそうだ。そういうことをぼんやりと覚えていて樹海へ行こうと家を出たのだった。中央道で樹海へ行く、それだけを考えて家を出たような記憶がある。だが今から富士まで往復していたら会社に遅刻してしまう。美奈子は時計を見た。四時を十数分過ぎたところだった。富士へ行ったことは何度かある。中央道を通り河口湖を経由して富士スバルラインで五合目まで最低でもたぶん二時間はかかるし、戻りは下手をすると出勤の車のラッシュに巻き込まれる。それで家に戻ってシャワーを浴びて化粧をして服を選んだり朝食を摂ったりしていると朝の会議には間に合わない。あの通信ソフトの発表説明会のイベント企画レポートを書くのに三日かかった。ハイテクにまったく無知な女性作家を質問者にしたところが斬新《ざんしん》だと自分でも気に入っている。この時間から樹海に向かうのはやはりどう考えても無理だ。どうしてこんなに樹海への出発が遅くなったのだろう。あの男を殺したのは夕食のすぐあとだったからそれからすぐに出発すればゆっくり間に合ったのにどうしてそうしなかったのだろう。そのことを考えていて赤信号を無視しそうになり、美奈子は急ブレーキを踏んだ。車が前後に大きく揺れて後ろのトランクで何かがごろごろと転がる音がした。その音で、死体を切断していたせいで出発が遅くなったのだ、と美奈子は思い出した。トランクに入らないということではなかった。重くて一人では運ぶことができなかったし、切断するにはノコギリが必要で、それを探すのにも時間がかかった。あの男の皮膚はグニャグニャしていたからノコギリを皮膚に当てて切ろうとしてもダメだった。美奈子はあまり腕力のあるほうではなくノコギリの刃がずれて歪んでしまうのだった。包丁で切れ目を入れておいてからノコギリを当てなければいけなくて、そのことに気づくまでにも無駄な時間を使ってしまうことになった。

　死体は六つに分けて黒のゴミ袋に入れた。ゴミ袋は骨の切断面のぎざぎざで破れる恐れがあったので三重にした。内臓と、その他の血塗れでなんだかわけのわからない塊はキッチンのディスポーザーで細かくして流せるものは流し、流れなかったものは生ゴミとしてゴミ捨て場に置いた。内臓は既に匂いがしていたので脱臭剤を一緒に詰め込み、タイムやシナモンやターメリックやナツメグなどの強い香辛料を大量にふりかけてから捨てた。

　頭をはっきりさせなくてはいけないと美奈子は思った。殺害やそのあとの死体の切断は淡々と事務的にやったつもりだった。肉の塊になってしまうと人間も他の動物も変わるところはないのだとわかった。だが、今になってわけのわからないフラッシュバックが襲ってそれはもっとも恐い映画を見ているようで、考えたり決定したり行動に移したりしなくてはならないことがわからなくなった。考えようとしても例えば真っ赤なエノキ茸が頭に浮かんできてその他のことを閉め出してしまう。あの男の胴を切っているときに夕食のエノキ茸が消化されずに血塗れで出てきた。最初寄生虫の一種かと思ったがそれは夕食にバター炒《いた》めであの男に食べさせたエノキ茸で、それが今、突然目の前に映像として浮かんできてどうやっても消すことができない。エノキ茸は頭の中で膨れ上がり美奈子はこのままでは車を運転しながら気が狂ってしまうと恐くなった。喉がべっとりと塞《ふさ》がって呼吸が苦しくなり激しくせき込んで、美奈子は喉が渇いていることに初めて気づいた。

喉が渇いているときに何を探せばいいのか、それも考えることが難しかった。記憶がゼリーのように固まって表に出てこない。探すべきものは通りにあるという曖昧な記憶しか甦ってこなくて、美奈子は車を止め通りを視界の端から端まで眺めたが、自動販売機を見つけるまでにずいぶん時間がかかった。コインを入れる手が震えた。ジャワティをゆっくりと飲みながら、シャッターの閉まった酒屋の店先にある電話が目についた。携帯の小さなボタンは押す気にはなれなかったのに、なぜか緑色の電話は懐かしく感じた。誰かと話をすれば気持ちが落ちつくかも知れないと美奈子は思った。こんな早い時間に目覚めている知り合いは両親しかいなかった。美奈子の父親はかなり大きな事務機メーカーの創業者だったが、ほとんどの製品の電子化を機に部下の一人に経営をすべてまかせ、母親の病気という事情もあり東京の家を一人娘の美奈子に残して奈良の田舎に帰った。今は母親と二人で有機農業の真似事をしたり俳句の本を出版したり中国の書を勉強したりしている。毎朝四時には起きて山間《やまあい》の小さな畑に出るのだと言っていた。

「こんな早い時間にどうしたの」

電話には母親が出た。父親のほうは照れなのか最近はあまり美奈子と話したがらない。大事な説明発表会の企画書作成のために徹夜したのだと美奈子は言った。企画書を作ったのが昨夜ではないというだけで、それは嘘ではなかったから、美奈子は母親と普通に話すことができた。別に用事があったわけではなく根《こん》をつめて企画書を書き続けたので眠れなくて電話したのだと母親に説明した。

「コンピュータを作っているあの会社に、ミナちゃんは、まだいるのね？」

母親がそういうことを聞いてきたので、今の会社はコンピュータを作っているわけではなくコンピュータで使うソフトを輸入販売する会社なのだということを喋った。そういうことは全然わからないけど無理はしないように気をつけないとね、と母親は言った。

「あなたはからだが弱いんだから、用心しないと、徹夜なんかしてはダメですよ」

母親は精神的に不安定な人だった。若い頃からうつ病と診断され、他人との接触が苦手で美奈子のクラシックバレエのレッスンに同行する以外ほとんど外には出なかった。中学の頃から自分は母親の人形ではないかと美奈子は悩むようになり、自分もいつか母親のように精神の安定を失くしてしまうのではないかと恐れ、学校に行くのがはっきりと苦痛になった頃から過食が始まった。何かを口に入れ嚙んで吞み込んでいる間だけはいやなことを考えずにすんだ。太ってしまったらバレエができなくなるということで母親から食事を制限されていて、そのストレスの反動もあったと思う。太りだしたとき、もうあなたはわたしの子どもではないと母親は言った。美奈子は休学して摂食障害の子どもを集めた施設に入れられた。学校は嫌いになっていたし母親から離れたせいもあって施設での生活は決して苦痛ではなかったが、何人かいた仲のいい友人を失うのが恐くてほとんど毎日のように学校宛てに手紙を書いた。誰からも返事が来なくて、二週間ほどで手紙を書くのを止め、その友達のことは絶対に許さないと思った。その友人達は進学組だったので、その中の誰よりもいい大学に入って彼女達を見返してやろうと、施設を出てから美奈子は異常に勉強した。何度もからだを壊したが、入院して点滴を受けているときでも参考書を手放すことはなかった。目指していた大学に入り、次は仕事でも友人達には負けたくないと思い、父親のコネを使ったと言われたくなかったので、アメリカの通信ソフト開発会社の日本総代理店に入り営業企画の仕事を猛烈に勉強した。先端企業の象徴的なキャリアウーマンとして女性雑誌のグラビアに載ったこともあるし、テレビの取材を受けたこともあるし、流行に敏感な人が集まるとされているレストランやクラブやカフェの常連になった。

「会社に行く前に少しでも眠ったほうがいいんじゃない、まだ時間はあるんでしょ？」

母親は優しい声でそう言う。この女のこの優しい声が自分を人形にしたのだと思いながら、美奈子はあの男のことを思い出していた。あの男は流行の先端だといわれるような店で働いていた。店ではもっともランクの低い、ボーイだった。出会ってからまだ八ケ月しか経っていない。二十四になったばかりで美奈子より四歳年下だった。店のトイレ付近で、雑誌で見たことがあるとあの男は話しかけてきて、記念に名刺が欲しいと美奈子に言った。その次の日から電話が一時間に一度のペースでかかってきて、困るから止めてくれと言ってもあの男は聞かなかった。何日かしてから美奈子の出社時にあの男は薔薇の花束を持って会社の前に立っていた。美奈子は花を受け取らず、話しかけられても返事をしなかった。美奈子は恋人に不自由していたわけではないし、髪の毛の長い年下の男にはまったく興味が持てなかった。あの男は毎日会社に現れるようになり、男性社員が注意をしても聞かなくて、困った末に美奈子はあの男が働いている店に行き、恥を知りなさい、と怒鳴りつけた。男は急に泣きだして、もう二度と会社の前で待ったり電話したり迷惑をかけるようなことはしない、と涙声で言った。誰かが自分の目の前で泣きだすのを見るのは初めてだったし、他人を泣かせたことも今までなかったので美奈子はびっくりした。なんて意気地のない弱虫なんだろうとあの男のことを軽蔑したが、最後に一度だけ一緒にコーヒーを飲んでくれませんか、という約束をなぜか受けてしまって、店が終わってから二人で美奈子の行きつけのホテルのバーに行った。

あの男は自分のことをミュージシャンだと言った。ベースギターとボーカルをやっているが、自分たちはレコード会社の奴隷になって女子どもを喜ばせるようなバンドではないのでまったく売れないし、まだレコーディングもできていないが今後も一切この業界に妥協するつもりはない、というようなことをあの男は言った。コーヒーではなくテキーラロックを飲んで、美奈子は自分の家に連れて行き一緒にベッドに入ったが、あの男は性的不能者だった。単に酔ったからだろうと思って、軽い気持ちで、若いのにだらしないわね、と言うと、あの男はまためそめそと泣き始めた。三年前にイギリスに留学していて麻薬を覚えその後遺症なのだ、と静かに泣き続けながら言い訳した。あとになってイギリス留学のことは嘘だとわかったが、あの男が泣くのを再び見て、自分はこの男と寝たかったわけではなくこの男が泣くのを見たかったのだということを美奈子は理解した。美奈子はあの男のインポテンツを治療したが、それは別にむずかしいことではなかった。あの男は風呂場で髪を洗ってもらうのが好きだった。髪を洗ってやっているときあの男はいつも気持ちよさそうに目を閉じた。そして必ず隆々と勃起した。

半ば同棲するようになってから、他にも女がいることがわかった。ファッションマッサージかデートクラブに勤める二十歳の女で、あの男は電話番号を教えていて、ある日かかってきた電話に美奈子が出た。ババア、とその女は言った。変態なんだってね今度家に火つけてやるからね。そのことをあの男に言うとまた泣きながら謝り、呼び出してその風俗の女を美奈子の目の前で罵った。そのあともあの男は別の女をつくっていた。みんな風俗の女達で、そしてそのことは、簡単にばれた。他の女のことを問い詰めると、あの男は最初知らないふりをしてとぼけた。電話がかかってきたとか、興信所を使ってあとを尾けたのだとか言うと態度を急変させ、床に泣き崩れて、誘惑されたのだとかヤクザの女で脅されてしょうがなかったのだとか同級生で田舎から突然出てきて頼る人が自分しかいなかったからだとか、そういう弁解をした。そうやって泣きながら弁解をするためにこの男は他に女をつくるのではないかと美奈子は疑い、自分も泣かせるのが好きなわけで、同じようなものだから本気で責めてもしょうがないと思った。そんなことは実際どうでもよかった。あの男を殺さなくてはいけなくなったのは、美奈子が妊娠したからだ。

「ちゃんと、栄養のあるものを食べているの？　偏食しないで三度三度きちんとね、色のついた野菜も食べなければいけませんよ、外食ばかりではダメなのよ」

美奈子が妊娠したことがわかるとあの男の態度が変わった。堕《お》ろすなんてそんなこと簡単に言っちゃダメだよ、おれはもちろん結婚してもいいっていうか、したいし、もうずいぶん前からだけどミナコさんとの子どもができたら人生がきっと変わるだろうなって思ってたとこがあるんだよ、おれは変われると思うし、変わるつもりだし、そのためには何だってするということ、一からやり直すということだし、人生のすべてを変えていくということだし、仕事を持つし、大学に行き直してもいいとさえ思っているということ、今までひどい生き方をしてきたと思う、頼りっぱなしだったし、それはミナコさんにってことだけじゃないってこと、本当にすべての面でってこと、おれがひどいトラウマの持ち主だってことまだ話してなかったでしょう、いじめられただけだけどさ、ちょっと前までおれは自分のことをいじめのデパートと自虐的に呼んでいたわけね、コンパスの針を目に近づけられたときは一番恐かったですよ、いじめるやつらは決まってるんだけどね、いじめの実行犯は、おれと同じような大して勉強もスポーツもできないやつらなの、勉強が本当にできるやつらやサッカーの選手とかはいじめないんですよ、いじめる必要がとりあえずないからだけどさ、連中は例えばおれがいじめられるのを見物しているわけだけど、この見物人というのが、実際にいじめるやつらには絶対に必要なわけですよ、いじめるやつらは、いつ誰からいじめられるかも知れないと不安になっている連中で、だから早いもの勝ちというわけでもなくて、差、を作りたいわけですよ、だから連中よりわずかに成績悪いやつとか、わずかにとろいやつとか、わずかに醜いやつがいじめのターゲットになって、そいつらをコケにすることで、自分達はあいつらとは違うと安心するんだ、それで、ベストのいじめられっ子というのは、我慢強い人なのね、すぐに泣いたり暴力で立ち向かってくる人はベストのいじめられっ子ではないんだよ、パシリをやらされても靴をくわえて犬みたいに歩かされても、顔を赤くしてじっと耐える子どもがベストなんですね、教師は、気づかないどころの騒ぎじゃないよ、勉強のできるやつやスポーツのできるやつ、明るくてはきはきして、理屈を言うのがうまくて、そういうやつを学校ってところはできるだけ大量に作りたいわけで、エリートは見物人だって言ったけど、そいつらがエリートだっていうのを決めているのは文部省で、教師はその下にいてギャラをもらっているわけです、つまり教師は最初からいじめる側に坐っているんだよ、おれは卒業したら全員殺してやると思っていたし、実際殺し屋を雇うために金を貯めてたこともあるし、それだけをずっと考えていじめに耐え抜いてしまったんだけど、今から考えるとバカなことをしたものだ、逃げればよかったのに、そうしなかった、おれが大学をはじめありとあらゆることから逃げ出すようになったのはその反動だと思うし、今まで逃げてばかりだったが、それがね、ミナコさんと会って変わっていくのが自分でもわかったわけですよ、昔、心理治療の本を読んだときに書いてあったことは、子どもを持てば責任感が生まれる場合があり、本当に変われたかどうかわかるということ、おれは本当に努力すると思います、誓うし、今ここで、指を一本本当に切ってもいいです。

あの男はそういうことを、泣かずに、堂々と美奈子の前で言った。美奈子は絶対に子どもを産みたくなかった。男だろうが女だろうが子どもは自分のような体験をするに決まっている。そういう体験をしている子どもを自分はどういう目で見ればいいのか。今ひどい体験をしないまま大人になれる子どももがいるとは美奈子は思えなかった。もし本当に堕ろすつもりなら、とあの男は言った。おれはおれのことも妊娠のことも会社に言うから。この男は本当に会社に言うだろうと美奈子にはわかった。つわりが始まって、少しずつだがお腹が大きくなっていき、夜には独特の微熱が続き、あの男が、もう動いてるかもよと言って裸の腹に耳をつけてくるようになったとき、殺すしかないと美奈子は思った。

「ねえ、ミナちゃん、この前キノコ送ったんだけど、味どうだった？」

父親から送ってきたエノキ茸を食べさせて、バスルームで髪を洗ってやり、ちょっと待っててね、と美奈子が包丁を取りに行って戻ってくる間、あの男はずっと目をつぶっていた。おいしかったわよ、と言って、美奈子は母親との電話を切った。

「終わってんなら、代わってくれます？」

女の声が聞こえて美奈子はどきっとした。すみません、と震えた声で言って走るように車に乗り込んだ。

「これ、忘れてるよ、ねえ」

百円玉が二枚コインの返却口に残っていて、チハルは車に向かって声をかけた。車の中の女は、要らない、というように手を振って走り去った。

「得した」

とチハルは呟いて、受話器を手に取り、女が残した百円玉二枚はオーバーコートのポケットに入れた。

Vol. 18

杉野

チハルは左手に抱えていたB5判のノートを開く。ノートのページは両側とも主に数字で埋められている。各ページはほぼ半分に区切られ、その左側に公衆電話のシリアルナンバーが記してある。チハルは今その前にいる電話機のシリアルナンバーを新しくノートに書き込んだ。半分に区切られたページの右側には、連続した電話番号が書き込まれている。その中の一つの番号を選んで、山形のこけしが描かれているテレフォンカードを差し込み、チハルは電話した。留守電になっていた。それも本人の声ではなく、ニュートラルで機械的な男の声だった。ただいま電話に出ることができません、ご用の方はピーッという信号のあとにお話し下さい、ファックスの方はそのまま送信して下さい。

チハルはノートに、ル、キ、と書き込んだ。ル、というのは留守電の略で、キ、というのは留守電の声が機械音だという意味だ。最近の留守電はほとんど、ル、と、キ、になった。他には、カ、という字や、み、というのが電話番号の数字のすぐ横に書きつけてある。カ、は会社で、み、は、商店や飲食店だ。連続した電話番号にはごくまれに赤いマークが入って名前などが書いてあるものがある。それはチハルが知っている人間の電話番号だった。知り合いの人間といっても、親しいというわけではない。チハルには親しい友人がほとんどいない。援助交際をするときと電話以外あまり外に出ないので、友人が増えることはない。知っている人間というのは、その番号に電話すると誰が出るか知っているという意味だ。チハルは連続する電話番号をざっと数えて、あと二十四回電話したあとに、知っている電話番号に電話できることを確かめた。

チハルはスピードの常習者で一度摂り始めると丸三日は眠らない。ごくたまにだが一週間眠らないこともある。スピードは郊外のある特定の駅前にいる外国人から買う。週の前半に一日だけ、時間にして数時間ほど、人数にして四、五人を相手にチハルは援助交際をする。母親からの仕送りもあるので、そのくらいの人数で充分やっていける。客を引っかけるのは新大久保駅のまわりだ。地回りのヤクザには月に二万払っている。歌舞伎町は遊びに来る人間のタイプが多すぎるし、中国人が次第に恐くなってきている。新大久保は最初から十代の女目当ての客が来るので話が早い。チハルは半年前まで籍のあった女子高の生徒手帳を持っている。退学するとき学校側は返せと言ったが、返さなかった。十五歳であることを証明する生徒手帳があれば、ウリをやらなくても食事かカラオケだけで、たいていの客は、一時間で最低三万から五万を払う。都の条例が出てからどういうわけか客は前よりも増えた。ダメだって言われるとますますやりたがるのが人間だ、と知り合いのヤクザが言っていたが、その通りなのかも知れない。

チハルはスピードを止めるつもりはない。覚醒剤がなければ生きる価値がない。スピードは大体三日間ぶっ続けでやり、そのあとの三、四日は抜く。自分にとってスピードは喜びと充実感のすべてだと、最初に摂ったとき既にわかったので、やったぶんだけ抜いて、摂る量が増えるのを防ぐことにしている。体質的に合わない人も多いが、チハルはスピードが自分のからだにフィットしていると思う。効きが醒めるときに、いやな感じがする人は多い。たいていの人が憂鬱に落ち込むし、ひどい場合は幻覚を見る。大事なのは心構えだとチハルは思っている。スピードは全能の神ではなく薬だ。基本的にはアリナミンやルルやアスピリンと同じで、薬だ。期待しすぎるから、効きが切れるときのダウンがきつくなる。興奮剤の効き目が切れるわけだから少しからだに不快感がある、と最初から思っていれば楽だし、睡眠薬を上手に使えば効きが切れるのと同時に眠れる。スピードは月に十万までしか買わない。月に二十万以上覚醒剤に入れ込むと、経済もからだも同時に破滅する。家庭とか学校とか世の中に絶望したり、ものすごい不満がある人が、覚醒剤で破滅する。そういう人は別に覚醒剤ではなくても他の何かで必ず破滅するのだ。

　チハルは電話を続ける。これまでのところ全部が、ル、と、キ、だ。これまでの約半年で五十二万四千百十九ケ所に電話したことになる。もう少しやり方を工夫すればあと五年くらいで二十三区のすべての電話機に電話できるかも知れない。でも、知り合いに電話するときは会話をするし、単に多くの電話機に電話することだけを目的にしないようにしている。スピードのやり始めの頃は、眠れないときに何をすればいいのかわからなかった。テレビは苛ついてくるし、もともと好きじゃない。特にコマーシャルがむかつく。ポルシェに乗ってるタレントがトヨタのコマーシャルをしているのを見て、むかつかないやつは奴隷だ。テレビは人間をバカにしているし、バカな人間を量産するためにテレビはある。覚醒剤を摂ると目がちかちかするので本を読むのは疲れる。一度靴磨きにはまったことがある。靴をきれいに磨くのはとても気持ちがよかったが、チハルはファッションにそれほど興味がないので、そんなにたくさん靴は持っていない。スピードを知る前は援助交際の金はファッションに回っていた。ブランドものを欲しがるのは、ブランドものでしかプライドを保てない人間なのだ、ということがスピードを知ってわかった。最優先のものが見つかれば、人生に目標ができる。目標ができれば、生きるのに必要な知恵が生まれる。ファッションに興味がないからといってチハルが汚い格好をしているというわけではない。汚い格好をしていると客が嫌がる。「JJ」を見て普通っぽい服を選ぶ。普通っぽい服は目立たない。覚醒剤の愛好家で目立った服装をするやつは、バカだけだ。チハルはピアスも止めたし、髪も染めていない。

靴磨きの他にもいろいろ試した末に、眠れないときの儀式を、電話にした。マンションの自分の部屋からではなく、公衆電話からかける。外の空気を吸ったほうが精神の健康にいいし、かなり歩くことになるので良い運動になる。明け方の三時とか四時にマンションを出て、毎朝それぞれ別の区や町にタクシーに乗って行き、四十八時間から七十二時間、その一帯の公衆電話をすべて回る。怪しまれないように、服装には気をつける。昼間は問題ないが、深夜や明け方に公衆電話を一つ一つ回っている者は普通ではないから、その町の住人に見えるような服装を心がけなければならない。最適なのはジャージーの上下だが、寒い季節だと不自然になることがあるので注意が必要だ。塾帰りの超まじめな女子高生という服装もチハルは気に入っている。

ル、キ、ル、キ、ル、キ、ル、キ、とチハルはノートに記入していき、二十本電話したところで次の公衆電話に向かった。歩きながらチハルはスキップしたい気分を抑えた。次の電話番号は、知り合いだった。

「ハルちゃん、今朝も早いのね」

「うん、アルバイトだから」

「偉いわね、今朝は寒いでしょう、今テレビでそう言ってたわよ」

「わたしは寒いのは平気、暑いのはダメだけど」

「そういえば、この前電話くれたときも、そう言ってたわね、若い人は、普通、暑い夏が好きでしょう、あ、わたしこういうことを、この前の電話でも言わなかった？」

「いいえ、この前はわたしが、寒いのが好きだって、言ったんです」

「それならいいんだけど、最近、いや、最近でもないわね、この何年か、同じことを何度も言うようになったのよ、一人暮らしだから、そういうことを注意してくれる人がいないでしょう？　だから、わからないのね、最近ね、言うだけじゃなくて、同じことを二度も三度も、するようになってきてね、まあ、こういう恥ずかしいことはハルちゃんにしか言えないけど、このあいだ、甘納豆が急に食べたくなってね、ハルちゃんみたいな若い人も甘納豆知っているのかどうかわからないけど、知ってる？　甘納豆」

「甘納豆、知ってますよ」

「そう、知ってるの、あれはね、なぜか突然食べたくなってくるものなのね、それでその日も突然食べたくなって、近所のパン屋さんに買いに行きました、わたしはほらスーパーが苦手な人だから、これ下さいって、はい、って返事が返ってくるほうがいいでしょう？　だから小さなパン屋とかお総菜屋とか好きなのよ、それで甘納豆買ってきました、家に着いて甘納豆を居間のテーブルに置いたとたんに、まったく、そのことを忘れてるのね、お台所でちょっとした洗い物があったから、して、そしたら、また甘納豆が食べたくなったの、買いに行かなきゃと思ってパン屋さんに行ったら、奥さんさっき買ったやつはもう食べちゃったんですか、ってパン屋のご主人がおっしゃるのよ、あらわたしさっきも買いに来たのって、大笑いよね、本当にこれ以上歳をとったらどうなるのかしらって、思うわ」

「でも、辛いこととか、悲しいこととか忘れられるからいいところもあるってこのあいだ、聞いて、その通りだなって思いましたよ」

「そうなの、ハルちゃんは本当に物覚えがいいわね、おかあさまの具合はどう？」

「変わりません」

「そう、でも気をしっかり持たないといけませんよ、植物人間だなんて、なんて失礼な言い方だろうって、わたしはいつも怒っているんですけどね、年寄りに対してもそうだけど、ちょっとした心配りや優しい配慮がない言葉が多いですからね、負けないでね」

　ありがとうございます、と言って、チハルは電話を切った。杉並に住む元女優のおばあさんだった。チハルの、知り合いは、ほとんどおばあさんだ。二人おじいさんがいるが、二人ともホモだった。明け方に起きているのは、昼夜逆転の暮らしをしている若い落伍者か、老人だ。話をしてもつまらないから、チハルは若い落伍者とは知り合いにならない。

電話をして、留守電ではなかった場合、すみません、間違えました、と丁寧に謝って一度電話を切る。相手の声で、歳や性格を推理し、優しくて孤独なおばあさんだと思ったら、もう一度電話をする。あの、さっきはすみませんでした、そう言ってもう一度謝ると、そのまま話が始まって知り合いになることも多い。だが、その段階で話を続けたがるおばあさんはかなり病的だ。病的に話し相手に飢えているおばあさんで、いい知り合いにはなれない。いい知り合いになれるおばあさんは、チハルが再度謝りの電話をしても、警戒心を解かない。必ずチハルは怪しまれる。最初に知り合いになったおばあさんもそうだった。どうして電話してきたの？　とチハルは聞かれた。

「母の声に似ていたから」

チハルはそう答えて、最初のおばあさんの場合、それは嘘ではなかった。母親の、昔の声に似ていた。

「母親は動くことも喋ることもできない病気で、それでつい懐かしくなって」

母親は植物人間で寝たきりなのだと、チハルは嘘をついた。チハルの母親は去年再婚して今はシンガポールにいる。相手の男は嫌いなタイプだった。こんな人と一緒に暮らすくらいだったら死んだほうがいいと思った。チハルは歳の離れた夫婦の間に生まれた一人娘で、ごく普通の出版社勤めをしていたおとなしい性格の父親は、チハルが八歳のときに肝臓の病気で死んだ。保険金と退職金で、母親は中央線沿線のこぢんまりとしたマンションの一室を買った。何の資格も技術もない母親は一日に三つのパート仕事をして働いて、チハルを有名な私立の女子校に入れた。この人はどうして睡眠もほとんどとらずにこれほど働けるのだろう、わたしを私立の女子校にやるためだけにこんなに働いて、この人は、幸せなのだろうか、とチハルは思った。おかあさんは幸せなの？　そう聞いてみたかったが、聞けなかった。幸せじゃない、という返事が恐かったからだ。母親には絶対幸せであって欲しかったし、もし母親が幸せではないと答えた場合に、それはきっと自分のせいに違いないと思うのがチハルは恐かった。チハルが高等部に進んだ頃、母親はまだ三十代の半ばで、まだ充分にきれいで、その男と知り合った。裕福な男らしかったが、チハルはその男の自信に充ちた態度が嫌いだった。その男が怒りだすようなことを、チハルは平気で言った。チハルと男の間に立った母親は疲れて、その男のほうを選んだ。母親にその男のほうを選んで欲しくて、わたしはひどいことを言ったのかも知れないと、今チハルはそう思うことがある。本当に一人で大丈夫なのね、と最後に言って、泣きながら母親は飛行機に乗った。おかあさん、今、幸せでしょう？　とチハルは最後に聞きたかったが、やはり聞けなかった。もう少し大人になって、そう聞けるときがいつか来ることをチハルは信じている。チハルが学校をやめたことを母親は知らない。だが問題はわたしではない、とチハルは思う。問題は、わたしに関係なく、母親が幸せかどうかなのだ。

「あら、チハルちゃん、相変わらず早いのね、元気でやってる？」

一人暮らしのおばあさんは、ものすごく多い。老人のところには、いたずら電話もかかってこないらしい。知り合いのおばあさんと話すとき、理想の娘を演じているのではないかとチハルは思うことがある。父親が早く死んで、働きすぎの母親の脳の血管が破れ植物人間になってしまったために、朝から夜中までアルバイトをして母親の入院費を稼ぐ、可哀想だけど明るくてけなげな十五歳の少女。わたしは偽善者なのだろうか、とチハルはときどき考える。おばあさん達との会話がそれほど楽しいわけではないし、スピードをやっていなかったらもちろんこんなことはしない。

「今、チハルちゃんのセーターを編んでいるんだけど、できあがったら着てもらえるかしらね、勝手に、都合も聞かないで、そんなことをしてごめんなさいね、そうね、考えたら今時、手編みのセーターなんか、若い人は着ないわよね」

「そんなことありませんよ、去年なんかけっこう流行ったんじゃないかな」

「あら、そうなの、それじゃ、できあがったら着てくれるかしら？」

「アルバイトが忙しいので、いただきには上がれないと思うんですが、それでもいいですか?」

「もちろんよ、チハルちゃんが忙しいのはよくわかっているから、送りますよ、今は宅急便で都内だったら一日二日で着きますからね、チハルちゃんのご自宅はどちら?」

「武蔵関です、関町二丁目ってとこですけど」

「あら、関町なの? 信じられない、本当に関町? わたしはずっとずっと昔に関町に住んでいたことがあるの」

おばあさんは昔を思い出す。どんなに辛い過去でも昔のことは常に美しい思い出にあふれているようだ。チハルはその思い出の物語を聞く。

「ねえ、チハルちゃん、関東バスの、関町二丁目っていう停留所、今でもあるのかしら」

「ありますよ」

「その停留所の一つ奥の通りに小さな神社があるのは知らないわよね、一本だけ、大きな銀杏《いちょう》の木がある神社なんだけど、知らないわよね」

「あ、それは、ちょっと」

「今はもうなくなったのかも知れないわ、わたしは昔そこで、秋になるとね、銀杏の実を拾っていたの、銀杏の実、知ってる?」

「ギンナン?」

「そうそう、それは匂いがすごいの、手とかにもその匂いがつくの、それで、わたしがまだ女学校だから、十八歳くらいかしらね、その神社に読書をしにやってくる早稲田の学生さんがいたの、なんかむずかしい本を読む人だなって思って見ていたのね、わたしは手に匂いがつくのいやだから、銀杏の実を取るのがいやになったのよ、でもそうやって顔見知りになってもね、昔だからほとんど話をしないのよ、今だったら笑ってしまうわね」

「何をしてたんですか？」

「え？　何？」

「うん、だから、ギンナンも拾わないし、その学生さんと話もしないで、何をしていたのかなと思って」

「じっと見ていたの、銀杏の木の陰から」

「見てただけですか？」

「でもね、きれいだったのよ、銀杏の葉っぱが、本当に目が痛いくらい、黄色になって、秋の日が差し込んできて、地面にも葉っぱがたくさん落ちていて、風が吹くでしょ？　すると葉っぱの影が大きくゆっくりと地面で揺れるの」

良い思い出しか憶えていないおばあさんはとても可愛い、とチハルは思う。昨日、知り合いの数を確かめたら二十四人いた。

次の知り合いが巡ってくるまで、五百六十二人に電話をする。百十二人目の電話は留守電ではなかった。誰だ、てめえ、と若い男の声がした。もしもしとチハルが何か言う前に、誰だ、てめえ、と言ったのだ。それはかなり珍しいことなので、しばらくチハルは男の怒鳴り声を聞くことにした。

「来るなら来いってずっと言ってるだろ、来いよ、おれはここにいるから、来てみろよ、何で黙ってるんだ、お前らがおれをどうしようとしてるのかわかってるぞ、このあいだ、ラジオでも喋ってただろう、あのFM局のアナウンサーもお前らの仲間だろう、そのくらいわかるってことだよ、何だ、あの見え見えのリクエストは、ポール・デズモンドと、スタン・ゲッツと、ウェス・モンゴメリーだって？　おれへの暗示だろう、わかってる、暗示だ、ポール・デズモンドはアルトサックスだし、スタン・ゲッツはテナーだ、ウェスはギターで、それがおれへの暗示である証拠だ、おれのあとを尾け回すのは何のためかっていうのもばれているんだよ」

そうやって怒鳴っている間に、電話が切れた。杉野は、切れた電話に向かってさらに大きな声で、おれがバンコクで銃を買ってきたことくらいお前ら知らないのか、と怒鳴った。

Vol. 19

ユウコ　2

バンコクへ行ったときに本当に銃を買ってくればよかったと杉野は思った。バンコクへ行ったことは憶えている。おれの記憶はまだ破壊されていない、あいつは、おれをゆっくりと破壊して楽しむつもりだから、すぐにおれのすべてを壊してしまうわけではないのだろう、すぐに全部を壊してしまえばそれで楽しみは終わるし、あいつにしたっておれの代わりをすぐに見つけるのは大変だ、杉野はそういう風に考えながら、双眼鏡を目に当て、アパートの表の通りの監視を続けた。

杉野は、横浜と川崎と東京が接するあたりの、ごちゃごちゃした商店街の裏手にあるモルタル造りのアパートに住んでいる。建物のすぐ脇に線路があり、窓から手を伸ばせば届くようなところを小豆色の電車が走っていて、その振動で絶えず部屋全体が揺れる。杉野は六年間勤めた中堅音響機器メーカーを半年前に辞めた。希望退職だった。技術開発から営業に回されたとき、これは辞めるしかないと思った。営業ができる性格ではないと自分が一番よく知っていたからだ。結局百人以上の社員が退社することになり、条件闘争をしていた組合は希望退職の杉野を裏切り者だと決めつけた。安いアパートに移れば一、二年は食いつなげるくらいの退職金の代わりに、杉野は大学時代からずっと一緒だった親しい友人をそれで失った。親友は組合の執行委員をしていた。会社を事実上クビになったことよりも、その友人を失ったことのほうが悲しかった。その友人と知り合ったのは、平凡な私立大学の電気工学科で、二人はジャズの研究サークルに入っていて、当時スピーカーシステムでヒットを続けていた音響機器メーカーにそろって入社することができたときは、こいつとは一生友人でいるのだろうな、と杉野は思ったものだ。

二人はいろいろな意味で対照的で、それで気が合ったのかも知れないな、と杉野はずっと思っていた。友人は東京のかなり裕福な家庭の生まれで、積極的な性格で、ジャズでは主に当時亜流とされていたボサノバや西海岸の白人のものを好んだ。杉野は栃木の国語教師の息子で、小学校の頃から目立たないおとなしい自分を選び、唯一の趣味であるジャズではメインストリームとされていたコルトレーンやマイルス・デイビスやブルーノートのレーベルのものが好きだった。友人は、その頃高円寺にあった杉野の四畳半一間のアパートに泊まり込みでよく遊びに来た。ジャズ喫茶で長い時間を過ごし、友人が実家からくすねてきたウィスキーを飲みながらさまざまなことを話すのは、それまでに杉野が味わったことのない時間だった。東京に家があるやつはいいよな、と杉野が言うと、バカ言え自由なんか何にもないんだぞ、と友人は言った。アルバイトが嫌いだから、おれなんかたぶん就職するまで家から出られないんだ、お前が本当にうらやましいよ。二人が知り合った大学に関しても、杉野は第二志望だったが、その友人には屈辱的な結果らしかった。今からでも他を受け直したいが意志が弱いから無理だろうな、というようなことをいつも言っていた。杉野は、その友人と付き合うことで、絶対的に幸福な人種というものは存在しないのかも知れないと思うことができた。そういうことは田舎に残った連中にはわからない、という優越感も持てた。

その友人はバンコクに行きたがっていた。オリエンタルホテルのバーラウンジにハーレムから四十年前に逃げてきた黒人の伝説の老ピアノ弾きがいるんだよ。その友人はまだバンコクに行ったことはなかったので、退社後に自分に許した海外旅行に杉野はバンコクを選んだのだった。旅行の前に引っ越しをした頃から、神経が削られていくような喪失感を杉野は味わうようになっていた。電車の通過で部屋全体が揺れるたびに、友人が最後に言った言葉が甦ってきた。

「お前はそんなやつじゃなかった」

杉野は海外に行ったことがなかったので、旅行がいい気分転換になるのではないかと期待したし、両親も同じようなことを言った。退社してから、電話の声が次第に弱くなっていって、親は心配していたのだ。友人がまだ行ったことのない場所に立てば、喪失感から少し自由になれるような気がしたのだ。だが、四泊五日十一万八千円の団体ツアーではオリエンタルホテルに泊まれるわけがなく、確認しなかったほうが悪いのだが、バンコクからすぐにパタヤビーチに移動という日程になっていて、自分でも信じられないほどの激しい口調で添乗員に抗議し、杉野はあっという間にグループ全体から孤立した。同室になるのを全員が嫌がった。結局添乗員と同室になったが杉野は完全に無視され、パタヤではビーチへもレストランへも行かず、ずっと部屋で一人で過ごした。友人の最後の台詞がパタヤの波の音に重なって繰り返し聞こえてきた。

バンコクに戻ってきて、一人でオリエンタルホテルへ出かけた。バーラウンジへ行ってみたが、ピアニストは若い白人の女だった。杉野は英語ができないので、ただ黙ってその吐き気のするようなムード音楽を聴くしかなかった。そのスノッブなバーラウンジは非常に居心地が悪かったが、他に行くところがなく、杉野は途中から誰かが自分を監視しているような妙な感じがしてきた。耳慣れない外国語での騒々しい会話の中に、あの友人の声が混じりだした。友人は、杉野のことを、あいつは世界で一番ダメな人間なんだ、と指さし笑いながら話していた。杉野は怒りで顔が熱くなったが、首筋からは冷たい汗が流れてきて腋の下に溜まった。ここには間違いなくあの友人がいるという恐怖が、既視感に変わった。自分は前にここに似た場所にいたことがあって、この雰囲気を経験したことがある、杉野はそういう思いにとらわれてしまった。周囲の話し声が一つに固まって聞こえてきた。耳元で怒鳴られているようだった。沈んでいた幼い頃の記憶がその怒鳴り声でふいに再生された。焦点のぼけた映像が目の前に現れ、ノイズの混じった音が耳のすぐ傍で鳴りだした。母親が赤ん坊の杉野をおんぶして掃除機をかけている。父親がものすごい勢いで怒鳴っている。母親は父親から逃げるように部屋の中を移動する。母親の背中に縛りつけられた杉野の視界がメリーゴーランドのように回転するが、父親はそのあとを追い怒鳴り続ける。父親が何を言っているのか赤ん坊の杉野にはわからない。チューニングがずれたラジオのボリュームを最大にしたような、ノイズ混じりの割れた怒鳴り声、ふいに現れた暴力的な記憶に支配され、自分がどこにいるのかがわからなくなり、そのバーラウンジで杉野は現実感を失った。

日本に帰ってきてから、友人に何度も電話した。お前はどうしてバンコクに行ってたんだ？　行くつもりだったのなら行くっておれに言ってくれてもよかったじゃないか、一人で会社を辞めたのは謝るから、これ以上おれにつきまとわないでくれ、わかってるんだ、おれには全部わかってる、お前が正しいし、おれには対抗する手段がない、誰を雇っているんだ？　アパートの外でおれを見張ってるやつに、帰るように言ってくれないかな、いつも違うやつがこっちをじっと見てるんだ、おれはもう何の恨みも持っていないし、そもそもお前に恨みなんかなかったんだから、おれを監視するのは意味がないと思わないか、きっとおれが悪いんだろうと思う、だが会社を辞めてからもう二ケ月も経つんだからお互いにもう忘れようじゃないか、それでおれの親にだけは、いろいろ言いつけるのを止めてくれないかな、親はお前のことをあまり知らないんだ、親までお前の味方になっていて、おれを田舎に連れ戻そうとしたりするんだから、そういうことはフェアじゃない、おれをそっとしておいてくれ、おれを追い回すのを止めてくれ、そういうことを言うたびに、友人は、病院に行ったほうがいい、と悲しそうな声で言った。その友人に五百回近く杉野は電話した。最初の数回、友人は、病院に行け、と繰り返した。そのあとは会社でも自宅でも電話にまったく出なくなった。

やがて、友人が音響機器メーカーを辞め、その頃できたばかりのFM局に就職したことを、人づてに杉野は知った。ラジオのチューニングをそのFM局に固定して、杉野はほとんど一日中放送を聴くようになった。その放送のすべてがあの友人からのメッセージで、FM局に入社したことで、あいつには仲間が増えたのだと思った。ディスクジョッキーやアナウンサーやパーソナリティが喋ることはすべて杉野を侮辱するための暗号らしかった。彼らの笑い声は嘲笑だった。彼らが話すこと、例えば恋愛についてのアンケートファックスを読んだりするとき、恋愛という言葉を、杉野、に変えてみれば、陰謀ははっきりした。

杉野はやはりなくてはならないものだと思います、だって私達はそれが生きがいというか最大の楽しみになっているわけですから、確かに日常で杉野のことをいつも意識しているのは不自然です、そのことばかり考えている人は案外杉野に縁がない人かも知れないし、でも杉野がまったくなくなった世界を想像して下さい、それは何の楽しみも潤いもわくわくする興奮もない灰色の世界です、杉野で失敗する人は大勢いると思います、そして杉野において傷つくのを私たちはもっとも恐がっているのも事実です、ある女性雑誌のアンケートでも杉野は女の子の一番の悩みの種でした、杉野にチャレンジしたいのに恐くてみんなしり込みしてしまいがちなのです、恐がっているだけでは杉野には出会えません、まず外に出ましょう、外には杉野の可能性が潜んでいます、恐れないでいろいろな人にまず優しく接することなんかから初めて、やがて杉野を自分のものにできるように、積極的にがんばりましょう。

そういう放送のほとんどを録音し、テープを何度も聴いて、杉野はワープロで打った。ある単語を、杉野に置き換えたり、大学時代の共通の知り合いの名に変えたり、話されている固有名詞を杉野の故郷の小学校の名前に変えたりすると、すべての放送番組が杉野について語られていることがはっきりした。

やがて杉野は重大な答えを見つけた。あの友人がしつこく杉野を追い回すのはなぜかという疑問の、答えだ。それを発見したときはうれしくて、そのFM局に手紙を書いた。

拝啓、紅葉した秋の葉からの木漏れ日が実に美しい季節となりました、皆々様におかれましてはご健勝のことと推察いたします、さて、今回このような手紙を差し上げましたのはわたくしこと杉野浩の友人の貴社への就職について重大な疑惑を発見いたしましたのでそのご報告でございます、友人の名前はあえて明かしません、貴社の全社員の皆々様はその名前をご存じだからです、友人がわたくしこと杉野浩を個人攻撃して世間の笑いものにし、それによってレーティングを上げるという企画を掲げることで貴社の就職を勝ち得たことは既にわたくしの調査により判明しております、わたくしはその陰謀のために既に多大な損害を被り、失業という苦しみ以外に社会的に多大な制裁と嘲笑を受けております、わたくしは二十四時間監視されており自由に外出することさえできない状況で、故郷の両親やその他の親族でさえあなた方の側の人間となってしまい、わたくしを精神病院へ送る画策を練っているようなありさまです、わたくしにはもう誰も味方はおらず、貯金も底をついてきている状況にありながら再就職の道さえ閉ざされてしまい、為《な》す術《すべ》もないというのが偽らざる事実であります、どうかわたくしの訴えをお聞きいただき、わたくしへのいわれなき攻撃と侮辱を止めていただきますようお願い申し上げます、もし、今後四十八時間以内に改善が見られないような悲しい事態を迎えた場合、わたくしは法的な手段を採らせていただく所存であることをこの場をお借りしまして申し上げておく所存であります、なお末筆ではございますが皆々様の今後ますますのご繁栄を祈っております。

返事が来なくても杉野はその手紙を出し続けた。開封されずに戻されてくるようになると、今度は同じ内容の手紙を百通近く、知っている限りの新聞社、雑誌社、出版社、テレビ局、ラジオ局、作家、ジャーナリストなどに宛てて出した。返事は来なかったし、当のFM局の放送の内容も変わらなかった。杉野は弁護士を雇う必要を感じ、その費用を作るために苦痛に耐えて働きに出ることにした。学歴や職歴に問題がなかったのでいくつかの書類審査は通ったが、面接で落とされた。どの面接会場にもあからさまにあの友人の影響力があって、杉野がそのことを指摘したからだった。すべての面接官があのFM局の放送を聞いたことがあって、それは紛れもなくあの友人の影響力の証拠だった。おれは知られてしまっている、と杉野は思った。パチンコ屋だろうが、配送屋だろうが、道路工事だろうが、あの友人の監視の目が光っていて、そういう危険な職場では何をされるかわからない。弱者を救うという評判の弁護士を訪ねたこともあるが、とっくに情報は洩れていたらしくて、あの友人に洗脳されてしまっていた。弁護士は病院に入ることを勧め、杉野が怒りだすと、警察を呼ぶと脅したのだ。

杉野はほとんど食事を摂らなくなり、双眼鏡で表の通りを常に監視しているために睡眠もまともにとれなくなり、体重が二十キロ近く減った。あらゆる飲食店や食料品店にはあの友人に洗脳された者がいて、腐ったものや毒の入ったものを杉野に与えようとした。その証拠に、このパンには毒が入っているんだろう、と率直に目の前で言ってやると、彼らは狼狽《ろうばい》し、真実を告げられた者が誰でもそうなるように、杉野に対し怒り始めるのだった。自動販売機のオロナミンCドリンクとカロリーメイトもやがて信用できなくなる日が来た。自動販売機の中身を補充する係りの中に、あの友人の配下が混じっているのを見つけたからだ。あの友人の配下の人間には明らかな特徴があった。双眼鏡で覗いているとよくわかるのだが、ときどき仕事には直接関係ない仕草をするのだ。空を見上げたり、通りかかった子どもに声をかけてみたり、意味もなく冗談を言って同僚と笑ったり、傍の小石を軽く蹴ってみたり、そういう仕草は正常な人間のやることではなかった。

時折、空腹に耐えられなくなると、杉野は盗みをして食料を得た。盗みはあの友人の関知できないところで行われる行為で、毒を入れることもわざと腐ったものを置くこともできないと杉野は気づいたのだった。明け方に喫茶店などの前に置いてあるパンや野菜が盗みの主な対象になった。しかしまとまった量の食料が手に入ったところで杉野は盗みを止めた。あの友人の勢力は警察にも及んでいるはずなので、盗みを続けていると必ず逮捕されると考えたからだった。

両親や兄が何度かやってきて、そのたびに杉野を精神病院に入れようとした。精神科の医者を連れてきたこともあった。双眼鏡で彼らの姿を見つけると杉野は逃げた。誰が襲ってくるかわからないという状態がこの三ケ月間続いていて、いつどんなときにでも逃走経路は常に頭に入れてあったし、数日過ごせるだけの食料もバックパックに入れて準備してあった。逃げ出したあと数日は決してアパートには戻らなかった。非常に安いカプセルホテルに泊まることもあるし、深夜営業の喫茶店で夜を明かすこともある。意外な発見だったが、逃亡生活は安らかだった。人の嫌がるような場所にあるカプセルホテルや深夜喫茶や公園のベンチや路上には、あの友人に洗脳された監視人は見あたらなかった。だからよく眠れたし、食事もなめらかに喉を通った。結果的にだが、杉野は逃亡先で体力を回復させたのだ。そういう場所は考えてみると敗残者や逃亡者のためのものだった。逃亡者が多く集まるような場所に監視人を置くのはばかげているとあの友人も気づいているのだろう。攻撃し侮辱するためにあの友人は杉野をターゲットにしている。敗残者で逃亡者が集まるような場所に杉野を一生閉じこめておくために、あの友人は信じられないコストを払っている。だから杉野が実際にそのような場所にいる限り手は出さない。しかし、杉野はそういう場所にとどまっているわけにはいかない。そういう安らかさに甘んじて敗残者の巣窟《そうくつ》にとどまることは、敗北を意味しているからだ。

　杉野は双眼鏡を構えて夜明け前の暗い通りを眺めている。さっきかかってきた電話は誰からだったのだろう、警戒を解いてはいけない、あのバンコク旅行では銃を買ってくるべきだった、銃があれば、攻撃が可能になるからだ、今のところおれはただひたすら自分を守ることしかできない、いつか攻撃に転じなければ永遠にこのままだ、あの友人の監視は、わずかな例外を除くこの社会全体に及んでいる、それだけは事実だ、いや、それだけがおれにとっての真実であり、人生なのだ、何というシンプルな原則だろう、そしておれはそのことを完全に受け入れている、それがおれの生き延びていく理由のすべてであり、存在の証《あか》しでもある、敵は、社会の外側にある薄汚れた避難場所を除いたすべての地域を制圧している、あいつの協力者は、テレビの番組であり、テレビやラジオ局全体、あらゆるコマーシャル、あらゆるメディア、出版社、新聞や雑誌や本、電子機器、音響機器、地域の共同体と団体、弁護士、裁判所、流通業者、洋服屋やパン屋や宝石屋や靴屋やペットショップやランジェリーショップやレンタルビデオ屋やケーキ屋や時計屋やカメラ屋や花屋や眼鏡屋や東急ハンズやスーパーマーケットやデパート、旅行業者、代理店、自動車会社、スキー場とプール、ゴルフ場とテニスコートとスポーツジム、タクシーとバスと鉄道とフェリーと航空と高速道路の会社、リゾート開発業者、不動産屋、マンションや別荘の管理業者、輸入業者と輸出業者、飲食店とレストランとこぎれいな喫茶店やバーやスナック、ホテルや旅館、すべての会社と企業、銀行と証券会社、消防や警察や郵便局や幼稚園や塾や学校、あらゆる官庁と役所、この世に存在するすべての宗教と芸術と芸能、そして家族と政党と政府と国家だ、おれはそれらすべてと戦っていかなくてはならない、どこにも味方はいない、昔映画で見たアフガニスタンのゲリラのことを、このあいだ思い出した、彼らにとって復讐は善であり、義務でもある、彼らは戦い続け、敵を殺し続け、決して情けをかけない、皆殺しにする、おれは彼らのように生きることになった、地下や避難所で休息しながら永遠におれは戦い続けるのだ、いつか攻撃に転じてみせる、あの友人とそのすべての協力者の住みかにおれはいつの日かロケット弾を撃ち込むことだろう。

「おじさん、鳥を見てるの？」

通りを歩いていた若い女が杉野に声をかけた。その女は敗残者だと、一目で杉野にはわかった。敗残者はあの友人の手先ではない。

「襲ってくるやつらを見張っているんだ、お前も気をつけたほうがいいぞ」

杉野はそう言った。

「わかった、気をつけるよ」

散歩の途中だったユウコはそう答えた。

Vol. 20

他人

　ユウコは、あの男の人は何者なのだろうか、とアパートのほうを何度か振り返った。この夜明け前の時間に散歩に出るのは、ほとんどの建物の窓が閉まっているからだ。冬の明け方に窓を開ける人はいない。部屋にはさまざまなケーブルやラインがあって、その中には情報を持った電気信号も流れている。ユウコは、その電気的に変換された信号をモニターやスピーカを通さずに直接見たり聞いたりする。ケーブルやラインから遠く離れれば離れるほど信号は届きにくくなる。十メートル以上離れると、そこに何らかの信号が存在することはわかるが、実際に像を結んだり音になって聞こえたりはしない。ケーブルやラインが壁や地面に埋め込まれていたり、あるいは何かで遮断されているときも信号はやはり届かない。遮蔽《しゃへい》物が障子や襖《ふすま》だとかなり透過してくる。木材だと透過の度合いが下がり、コンクリートや金属はほとんど完全に遮断してしまう。

　散歩のときに通りに面した建物の窓が開いていると、その部屋の中の電気信号をユウコは漠然と感知してしまう。もちろん映像や音としてではないが、信号の存在がわかる。その折り重なって混ざり合ったひとかたまりの信号はたいていの場合ひどく汚い。ビデオとモニターを繋ぐピンジャックコードが、からだに触れるほど近くにあるようなとき、アナログ、デジタルにかかわらず、ユウコはその中を流れる電気信号を映像と音に解凍できる。映像や音が乱れたり不鮮明になることもあるが、ラインが至近距離にあれば必ず受信できる。ラインから離れるにつれて、また微妙な遮蔽物の有無によって受信情報の鮮明度も下がっていく。十メートル以上離れると受信ではなく感知になってしまうのだが、薄められた電気信号を小さな抽象画やかすかな幻聴のようなものとしてユウコは感じることができる。美しい映像や音楽は、そういう薄まった抽象的なものになっても、美しいままだ。

　ほとんどすべての家々や部屋の薄められた信号の抽象物は形も色も音色もひどく汚い。テレビやラジオが悪いのだろうとユウコは思っているのだが、あの双眼鏡で外を見ていた男の部屋は、汚くはなかった。最初バードウォッチャーかと思ったから、意外だった。バードウォッチャー達の部屋の電気信号はまるで鳥の糞のようだ。再生された自然の音は吐き気がするほど醜い。海岸の波の音や鳥の鳴き声やせせらぎや虫の鳴き声、それらはどんなに録音状態がよいものでも、人間の血流や呼吸音が信号に混じってしまっていて、その混じり方、音の結合の仕方が醜悪だ。

夜が明ける時間の散歩には目眩《めまい》がない。昼間買い物に出たときなどには、わけのわからない性的な飢餓感を感じて目眩がすることがある。実際にユウコは何度か倒れたこともある。あるときは電車に乗っていて突然その飢餓感が襲ってきた。電車に乗り込んで吊革につかまった瞬間に、蟻《あり》とかそういう小さな虫の足がからだ中の皮膚を引っかいているような感覚にとらわれた。電車の中だけど、ここでオナニーをしようかとユウコは思った。前に一度電車の中でオナニーを始めてしまったことがあって、乗客が通報し、係員がやってきて、石油と醬油の匂いがする恐ろしい小さな部屋に連れて行かれた。駅員達が休憩するための小部屋らしかった。ひどいことを言われて、叱られたり怒鳴られたりした。そうやって脅されるのは小さい頃から慣れているが、駅の構内にはいろいろな電気のケーブルがたくさん通っているみたいで、その中にはユウコに悪夢のような映像を見せてしまうものもあった。人が傷つけられるとか、殺されるとか、あるいはホラー映画のような映像ということではない。ホラー映画は楽しいし、人が死ぬのは悪夢ではなく現実的だし、医学的でもある。悪夢のような映像の典型は、大勢の人間が無表情のまま同じことを繰り返したり、大勢の人間がおかしくもないのに一斉に大笑いしているような、そういうものだ。駅員が休憩したり弁当を食べたりするのに使う小部屋にはそういう映像が充満していた。

そういうところに行くのはいやだったから、ユウコは次の駅まで我慢しようと思った。次の駅に着いたらトイレに入っておまんことアナルを掻きむしればいいと思った。オナニーがしたくて目眩が起こるわけではないと最近やっとユウコは気づいた。だが、オナニーは目眩に対抗できる。

昼間の町中でふいにユウコを襲う目眩は確かに性的なものだ。だからユウコはオナニーで対抗しようとする。適当な男がいれば、セックスをして欲しいと率直に言って、部屋に連れ込むことも多い。誰かに何かをして欲しいという飢餓感だからそれは性的なものだろう。でもいったい誰に何をして欲しいのかわからない。わからないままそれに飢えているのは苦しい。だからセックスの問題にしてしまう。セックスはわかりやすい。自分が必要とされているることが、また必要としていることがはっきりしていてあっという間に人間の関係ができてしまう。そしてその関係は長続きさせなくてもいい。相手のために努力したり、言葉を考えなくてすむ。男が、あるいは両方がいってしまえば、それでティッシュで拭いて終わりだ。それで自分が満足しているのかどうかはわからない。満足という概念がユウコにはない。だが渇きは収まる。自分の性的な欲求が他の人と違うということもユウコはよくわからない。病院では淫乱症だと言われた。そんな言葉はどうでもいいし、自分が病気かどうかもどうでもいいことだ。

　東の空がうっすらと明るくなった。道をもう一本横切ると多摩川に出る。遊歩道のような川沿いの細い道を歩きながら夜明けを迎えるのは気持ちがいい。空が濃い紫からブルーになっていくときにユウコはワグナーの旋律を聞く。「パルシファル」か「トリスタン」の序曲。ユウコはほとんど音楽を聴かないがワグナーだけが例外だ。ウォークマンで聴くわけではない。ワグナーはこれまでに数え切れないほど聞いてきたから、脳のあるポイントをオンにすれば自動的に聞こえてくる。ワグナーのオペラでは、ほとんどの登場人物が悩んでいる。だがワグナーのオペラの登場人物のように悩んでいる人にユウコはまだ現実の社会で会ったことがない。悩むというのと、寂しいというのは、どう違うのだろうか。

　寂しいとか寂しくないとか言う人が多い。ユウコと同じ造成地の、ある建て売り住宅の犬小屋に、首に犬の鎖をつけた男が住んでいる。その男は元トラックの運転手だが、その家に住む女に飼われているのだ。女は水商売らしくて、まるで宝塚歌劇団のように化粧が濃く、きつい顔をしている。男は埼玉に家族とともに住んでいたが、銀座か赤坂か忘れたがそのきつい顔の女と出会って、頼み込んで犬小屋に住まわせてもらうことにしたのだ。ユウコはその男とたまに話をする。その男のことは近所の人はみんな知っているが、誰も近寄ったり話しかけたりしない。犬小屋にいた犬はどうしたのか、とユウコはその男に聞いたことがある。

男は犬の住みかを奪ったのではないかとユウコは思ったのだ。この家では犬を飼っていなかったんだ、と男はユウコに答えた。犬小屋はおれが買ってきて、運び入れたんだ。その男はときどき外からは見えない庭の隅で、顔のきつい女に木の枝のようなものでぶたれている。ユウコはその庭への出入りを許されているが、入ってもいいかと聞いたわけではなく、二人から招待されたわけでもない。ある日ユウコは何となく入ってみたくなって入り、それを男も女も拒否しなかっただけだ。顔のきつい女は、首に鎖をつけた男の背中から血が出るまでぶつ。ユウコが見ていることがわかると、顔のきつい女はユウコのほうを見ながら、どう？というように笑う。ユウコが興奮しているかどうか知りたいのだ。その男とセックスしてもいいかとユウコは顔のきつい女に聞いたことがあるが、それはダメだと言われた。だってあなたこれは犬よ、犬と人間はセックスなんかしてはいけないのよ。埼玉で家族と暮らしているときはいつも寂しさを感じていた、と男はいつかユウコに言った。その頃はそれが寂しさだって気づいていなかった、子供は二人いて、可愛かったけど、おれはいつもいらいらして、そうしなければいけないからというだけでトラックに乗って働いて家族とピラフを食べたりしていた、何かが足りないとか、そういうことではなかった、何かが全部違っていた、人間というのはいろいろな自分があるんだと思う、接している他人に応じて人間は人格が微妙に変わる、本当は会う人ごとに別の人間になっているんだと思う、それは他人によって自分を確認しているからだ、家族と一緒のときのおれは寂しかった、家族と一緒のおれも、おれ自身には違いなかったが、あの女と一緒のときのおれのほうが、本当のおれだと思う、疲れないとか楽だとか興奮するとかそういうことじゃない、今のおれが、おれとしてフィットしているんだ、おれみたいにこんな変わった恥ずかしいことをしているのは、世界の六十億の人間の中でたった一人かも知れない、でもこの今のおれが、おれなんだ、他の六十億の人間なんかどうでもいい、あの女とこうして暮らすのは、寂しくないんだよ。

「散歩ですか」

川沿いの道の向かいの家から、ユウコは声をかけられた。四十代後半の男、顔が紫色に腫れ上がっている。散歩だけど、とユウコは答えた。

「あの、またお願いできませんか」

顔の腫れ上がった男はそう言った。目蓋や目尻が腫れ上がっているために目が両方ともほとんど塞がってしまっている。鼻にはまだ血がついて、下唇は昔見たアフリカのある部族のようにだらんと垂れ下がっている。男はユウコに笑顔をつくろうとしたがうまくいかなかった。この男は息子から暴力を受けている。非常に危険な状況なので、カウンセラーの助言もあって、庭にプレハブを作り息子とは別居するようにした。それでも息子はプレハブの家に乗り込んできて、暴力を振るうらしい。

一週間ほど前、やはり今と同じ夜明け近くに、息子が父親に暴力を振るっているところをユウコは目撃した。それほど大きな家ではなく、プレハブは大人一人寝るのがやっとという小ささで、母屋の軒をかすめるようにして隣接していた。プレハブは狭い庭を占領していて、窓のガラスはほとんど割れ、バットか何かを叩きつけた傷とへこみがあちこちにできていた。これ以上はないというような殺伐とした景色だった。馬乗りになって父親を殴っていた息子が、ユウコに気づいて、見せ物じゃないんだから消えろ、と言った。玄関が開いていたので、ちょうどそのときに電話が鳴るのが聞こえた。留守番電話になっていたようで、ユウコには録音中の女の声が聞こえた。大至急電話くれって、ユウコは息子と父親に、そう教えた。息子は、こいつは何を言ってるんだろう、という表情でユウコを見ていた。伝えたほうがいいと思ったので、母親からのものだと思われるメッセージをユウコは詳しく二人に教えた。新潟のおばあちゃんが倒れたらしいからすぐ電話してみてってパパに言って。父親はよろよろと立ち上がり、母屋の中に入っていった。息子はじっとユウコから目を離さなかった。お前は何なんだ、とかすれた声で言った。電話線の中の音が聞こえる、とユウコは言って、父親が、その人の言う通りだった、と言いながら出てきた。超能力か、と息子が聞いて、そんなことは知らない、とユウコが歩きだそうとすると、待ってくれ、と呼び止められた。息子はユウコの能力について聞き、ユウコは簡単に説明した。息子はユウコの手を引いて家の中に連れて行った。家では父親が旅行の準備をしているところだった。パパは新潟に行ってくるぞ、と父親は言ったが、息子は無視した。息子はどこからかぐちゃぐちゃになったカセットテープを持ってきた。プラスチックのケースが割れテープがねじれて飛び出してしまっていた。これはおれの友達が手紙代わりに吹き込んでくれたものなんだがおれがオフクロの英語のレッスンテープだと勘違いして壊してしまったんだ、これの中身が聞けるか？　息子はそう言った。ユウコは、そういうことはできない、と言った。電話やビデオやコンピュータのようにラインを流れる電気信号になっていないと見ることも聞くこともできない、このテープには、磁気の密度の違いが模様みたいに刻み込まれているだけで、これを走らせて電気信号に変えないと音は発生しない、と教えた。息子はがっかりしていたが、ユウコに敬意を覚えたようだった。そのあと息子は、おばあちゃんのことはけっこう好きだったんだけどあいつと一緒に新潟に行くべきだろうか、とユウコに相談した。わたしにはそういう人がいないからわからない、とユウコは答えた。息子は、結局父親に同行して新潟に行った。

「あいつと少し話してくれませんか」

息子は父親とはまったく口をきかないらしい。どこか具合が悪そうで、わたしを殴る最中で頭を押さえて苦しそうにうなりながら、ひどく吐いて、そのまま家に入ったままで鍵をかけて開けてくれない、非常に心配だ、警察や救急車を呼ぼうかとも思うが、あいつが何でもなかったら、あいつはものすごく怒ってそれこそわたしはそのあと殺されるかも知れないんです、あなただったらあいつは話をしてくれると思うんだが、父親はユウコにそう言った。いやだ、とユウコは言った。父親は泣きだした。わたしがもっとしっかりしていればいいんだが、もうどうしようもないんです、あいつはわたしに何にも言ってくれない、でもあいつがわたしを殴るのは一つのコミュニケーションだと思ったから、わたしへの信号だと思ったから耐えてきたわけで。父親は地面にひざを突いて泣きながら、そういうことを言った。

「信号というのはそういうものじゃない」

その家を離れるときユウコは言った。

川沿いの道を歩きながら、朝日が昇ってくるまであと数分だなとユウコは思った。「パルシファル」の序曲を聞き終わる頃にはマンションに戻ることになる。マンションでは、幸司という名前のボディガード兼世話係が朝食の用意をしているはずだ。幸司はユウコの保護者に雇われていて、誘っても決してセックスをしてくれない。保護者に禁じられているらしいが、わたしのことが嫌いなのかと聞くと、そうではない、と言う。ただユウコは小さな女の子みたいなんだ、攻撃的になれない、攻撃的になれないと男はセックスできないんだよ。幸司はそういう話をする。ユウコがきちんとした幼児期を過ごしていない、というようなことも言った。他の人と自分を比べることもできないし、本も読まないから、ユウコは幸司が言うことがわからない。セックスしてくれないのはユウコのことが嫌いだからだろうと思うだけだ。

ユウコはオナニーするとき、自分を嫌っている人間から犯されるところをイメージする。男を部屋に連れ込んだときも、お前のことなんか大嫌いだ、と言ってくれと要求する。お前が好きだと、ユウコに言った人間は何人もいた。ある人間のことを好きというのがどういうことなのかユウコはまだわからない。好きという感情がよくわからない。もしそれがユウコが好きなカンディンスキーの絵やワグナーの音楽のようなものだったら、そういう感情を向ける人間はこの世界にはいないような気がする。例えば幸司への感情は、ワグナーの音楽への感情とは違う。幸司がいなくなっても悲しくないが、ワグナーの音楽がなくなったらたぶん自分は生きていけないだろう。人間は他人によって自分を確認している、あの犬小屋に住む男が言った。もしそれが正しいのだったら、とユウコは思った。

わたしには他人というものがいない。

あとがき

八〇年代に『トパーズ』という短編集を書いたとき、登場するSM風俗嬢たちは日本的共同体の中で特殊な人間たちだった。SMという演劇的な性のゲームに自分のからだを提供することで、彼女たちは社会から個として露《あらわ》になろうとしていたのではないかと思う。つまり、近代の物語・個人史を、テーマではなく背景としたという点で、わたしにとってこの小説は新しい。

この数年、幼児虐待や殺人・自殺願望、ボディピアスや援助交際といったネガティブなモチーフで小説を書いてきて、この『ライン』に到達したような気がする。『トパーズ』のSM風俗嬢たちが抱えていた精神的な空洞は、今やごく当たり前のものとしてあらゆる社会的階層に見られるものである。そのような人々は言葉を持っていない。近代化を終えた現代の日本を被う寂しさは有史以来初めてのもので、今までの言葉と文脈では表現できないのだ。どこかに閉じ込められているような閉塞感と、社会と自分自身を切り裂きたいという切実な思いが交錯して空回りしている。

そのような時代にはドキュメンタリーは有効ではない。また、近代化が終わったのだから、近代文学も滅びるべきだと思う。文学は言葉を持たない人々の上に君臨するものではないが、彼らの空洞をただなぞるものでもない。文学は想像力を駆使し、物語の構造を借りて、彼らの言葉を翻訳する。

本書に登場するユウコには、そのモデルが実在する。もちろん彼女はラインを流れる信号を見る能力は持っていないが、執筆に関して多大なヒントを与えてくれた。彼女に感謝したい。

一九九八年七月十二日　横浜

村上龍

「ライン」を抜けるゲート

田口ランディ

この小説を、私は出版当時の一九九八年に最初に読んだ。一九九七年に子供を出産したばかりで、子育ての真っ最中だった。毎日、夫を会社に送りだすと洗濯をして、掃除をして、昼前から公園に行った。そして子供の後ろに背後霊のように立ち、子供の尻についてまわり、子供が砂場で猫の糞を食べないように気を使い、他の子供を叩かないように注意し、ありきたりな、本当にありきたりな日常会話を集まってきたお母さん方と交わしていた。昼時になると母親仲間の家で子供の面倒をみながらノリ弁当を食べたり、公園でコンビニのサンドウィッチをかじったりしていた。

二時頃に家に帰り、子供が昼寝をしている間だけ本を読んだ。そんな時に読んだのがこの

『ライン』だった。

　夕飯の買い物のために近所のスーパーに行く。スーパーの手前に本屋があり、その本屋に『ライン』は積んであったのだ。ネギや納豆や干物が入ったビニール袋をぶら下げて、子供のバギーを押しながら私は『ライン』を買って帰り、そして子供が寝ている合間に読んだのだ。

　自分の日常があまりにも間延びしていたため、『ライン』の文章の疾走感にショックを受けたのを覚えている。

　ああ、外の世界はこんなスピードで動いているんだ。それなのに、私の日常はなんてゆっくりで、なんて穏やかで、なんて変化に乏しいのだろうか。

　新宿の超高層ビル街のホテル、そこにやってくるＳＭ嬢、フォトレンタル屋の社員の男。かつて広告関係の編集の仕事に携わっていただけに、私は少しだけ業界を知っていた。やり手の女社長や、深夜のタクシーの運転手の様子、夜に働く女たちのことを少しだけ知っていた。

　あっち側の世界では、一夜の間にこのようにたくさんの人間が交差し、数限りないすったもんだが繰り返されているんだろうなあ、と、遠い世界のことを考えるように思った。

　でも、それはもう私には関係のないことだ。村上龍さんの描く小説のような世界は小説の中に存在するのであり、二度と私と接点を持つことのない世界だ。少なくとも田舎町で子供のバギーを押しながら散歩する日常の私には関係のないことだ。これはフィクション、フィクションの世界に過ぎない。少なくとも、私にとってはフィクション。そうでなければ困る。寝息をたてている娘の隣で『ライン』を読み終えて、私は自分の呼吸回数が少なくなっていたことに気づき深呼吸した。本当に息をつかずに読んだという気分。

読み終えて、私はある不思議な感情にとまどっていた。

これほどまでに自分の日常とはかけ離れた物語であるのに、なぜか自分もこの「ライン」上にいるような気がしてならなかったのだ。

妙だ。

私とは関係ない。ぜんぜん関係ないじゃない。それなのに感じてしまう。この「ライン」がわかる。なぜかわかる。私とて、ラインだ。危ういのだ。みんな危ういのだ。どこに暮らそうと例外なく危ういのだ。この日本ではみんな危ういのだ。そんな思いが湧き上がってきて、私は不安になった。そして怖くなって打ち消した。私は子供相手のこの日常にちょっと疲れているのかもしれないと思った。私の暮らしに村上龍は刺激が強すぎたのだ。きっとそうだ。

以降、読み返すことはなかった。

あれから四年が経つ。

まさか、あの私が『ライン』の文庫化のために解説を書くなど、絶対に金輪際、ありえないはずだった。

でも人生はなんでもアリらしい。

ありえないこともこのように起こってしまう。子供の背後霊だった私が、ふとしたきっかけから小説を書いた。

その小説は縁あって村上龍さんの推薦文をいただいた。そのようにして、私はいきなり作家になった。

私はこうして書きながらかつての自分と今の自分をうまく自己同一化できずにいる。本屋に平積みされていた村上龍さんの作品と自分の位相をうまく把握できない。現実感がないのだ。本当に私、今、村上龍さんの『ライン』の解説を書いているんだろうか、どうしてこんなことになっちゃったんだろうか。もしかしてこれって、夢なんじゃないだろうか。そんな気分だ。

解説のために、私は四年ぶりに『ライン』を読み返した。

そして、読みながら狼狽した。

今、私はこの小説を痛くて読みがたい。読んでいると動悸がして、胸が苦しくてたまらない。正直に言えば読むことが苦痛だ。とてつもない現実味を帯びて登場人物のすべてが私の中に侵入してくる。自分が「ライン」の一部になってしまう。

小説「ライン」における人間の「閉塞感」「虚無」の翻訳力はあまりに完璧で、私はこの物語の空虚に吸い込まれ、自分が無化してしまいそうだった。

かつて四年前に読んだ時は、ここまで登場人物に同調することはなかった。いったいどうしてしまったんだろう。何が変わったんだろうか。

私は自分自身が小説を書くようになって、自分と世界との境界がかなり曖昧になってしまっている。かつての自分と今の自分の自己同一化もうまくできないし、小説という物語世界に没入するようになって、物語と現実の世界の境界も不明瞭になってきた。

わずか二年の間に、私は自分の住んでいる世界がどんどん曖昧になってきていて、そのことと「ライン」の登場人物たちの心象風景がなぜか重なってしまうのだった。

それに、私がインターネットというメディアを通して創作活動を続けていることも「ライン」と繋がる。私はまさに「ライン」上で、自分の文章を発表し続けている。そして「ライン」によって繋がれた無数の存在と、現実とも非現実ともつきがたい関係性の中で共存しているのだ。

四年前、経済活動に携わることなく幼児と共に生きていたとき、私は心地よいほどのある安定を維持していたのかもしれない。けれども、自分が社会にコミットすればするほど、閉塞感と空虚さを感じ始めた。これは私だけの問題なのだろうか。それともこの社会の構造上の問題なのだろうか。年を追うごとに息苦しさが強くなっているような気がする。

小説を書くようになって、人間関係は飛躍的に増えた。いろんな場所でいろんな人が、携帯電話で、インターネットメールで、情報を運んでくる。ライン上にはさまざまな情報が行き交う。それを発信しているのはまぎれもなく人間だ。でも人間と情報の境界が曖昧になる。素性のわからない見知らぬ人間が「ライン」を通して大量に流れ込んでくる。情報と経験の境界も曖昧になる。知っていることと経験したことが同じに感じられる。

愛も憎しみも戦争も平和も、「ライン」に乗ってやってくる。

そのとたん、すべてが平板化する。

実感や知覚ではなく、デジタルな情報として視覚に飛び込んでくる。視覚だけが特化し、大脳新皮質で世界を処理しようともがく。

ハードディスクが満杯だ。

エラー、エラー、エラー。

今なら私は『ライン』の中の一登場人物として、この小説に登場できそうだ。

私は、がく然としている。

四年前と今と、自分の内的世界がこんなに変化してしまったことを『ライン』を読み返して初めて気がついてしまったからだ。

自分も神経症かもしれない、それが実感だ。

どこか変であることだけが、実感だ。

だけど、変であることが、唯一の実感であるのだとすれば、それを手がかりに生き抜くしかないんだろう。

この小説を読んで感じるような「痛み」を手がかりに、自分を探していくしかないんだろう。

私は私として社会とコミットしたい。閉じ込められ麻痺するのは嫌だ。

なぜだろう。苦しい小説であるのに、読み終わってから私はほんの少し予感した。

道はある、絶対にある。

「病」めばいいのだ。

「病む」ということこそ、「ライン」を抜けるゲートだ……と。

——作家

この作品は一九九八年八月小社より刊行されたものです。

ライン

村《むら》上《かみ》龍《りゅう》

平成14年4月25日　初版発行
令和5年4月20日　2版発行

発行人――石原正康
編集人――高部真人
発行所――株式会社幻冬舎
〒151-0051東京都渋谷区千駄ヶ谷4-9-7
電話　03(5411)6222(営業)
　　　03(5411)6211(編集)
公式HP　https://www.gentosha.co.jp/
印刷・製本―中央精版印刷株式会社
装丁者――高橋雅之

幻冬舎文庫

ISBN4-344-40231-6　C0193　む-1-17

この本に関するご意見・ご感想は、下記アンケートフォームからお寄せください。
https://www.gentosha.co.jp/e/